陳昌限
11.12

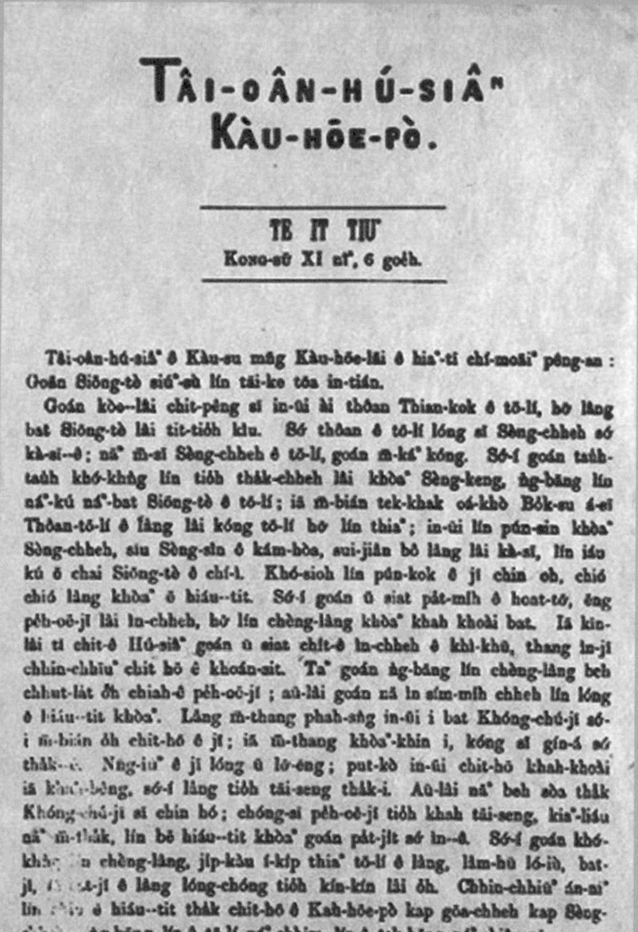

TÂI-OÂN-HÚ-SIÂⁿ KÀU-HŌE-PÒ.

TĒ IT TIUⁿ

Kong-sū XI nî, 6 goe̍h.

Tâi-oân-hú-siâⁿ ê Kàu-su mn̄g Kàu-hōe-lāi ê hiaⁿ-tī chí-moāiⁿ pêng-an: Goán Siōng-tè siúⁿ-sù lín tāi-ke tōa in-tián.

Goán kòe--lâi chit-pêng sī in-ūi ài thôan Thian-kok ê tō-lí, hō͘ lâng bat Siōng-tè lâi tit-tio̍h kiù. Số thôan ê tō-lí lóng sī Sèng-chheh só͘ kà-sī--ê; nā m̄-sī Sèng-chheh ê tō-lí, goán m̄-káⁿ kóng. Sớ-í goán tak-tak khó-khǹg lín tio̍h tha̍k-chheh lâi khòaⁿ Sèng-keng, ǹg-bāng lín ná-kú ná-bat Siōng-tè ê tō-lí; iā m̄-bián tek-khak oá-khò Bo̍k-su á-sī Thôan-tō-lí ê lâng lâi kóng tō-lí hō͘ lín thiaⁿ; in-ūi lín pún-sin khòaⁿ Sèng-chheh, siu Sèng-sîn ê kám-hòa, sui-jiân bô lâng lâi kà-sī, lín iáu kú ē chai Siōng-tè ê chí-ì. Khó-sioh lín pún-kok ê jī chin o̍h, chió chió lâng khòaⁿ ē hiáu--tit. Sớ-í goán ū siat pát-mih ê hoat-tō͘, ēng pe̍h-oē-jī lâi ìn-chheh, hō͘ lín chèng-lâng khòaⁿ khah khoài bat. Iá kin-lâi tī chit-ê Hú-siâⁿ goán ū siat chit-ê ìn-chheh ê khì-khū, thang ìn-jī chhin-chhiūⁿ chit hō ê khoán-sit. Taⁿ goán ǹg-bāng lín chèng-lâng beh chhut-la̍t o̍h chiah-ê pe̍h-oē-jī; āu-lâi goán nā ìn sím-mih chheh lín lóng ē hiáu--tit khòaⁿ. Lâng m̄-thang phah-sǹg in-ūi i bat Khóng-chú-jī só͘-í m̄-bián o̍h chit-hō ê jī; iā m̄-thang khòaⁿ-khin i, kóng sī gín-á só͘ tha̍k--ê. Nn̄g-iūⁿ ê jī lóng ū lō͘-ēng; put-kò in-ūi chit-hō khah-khoài iā khah-bêng, sớ-í lâng tio̍h tāi-seng tha̍k-i. Āu-lâi nā beh sòa tha̍k Khóng-chú-jī sī chin hó; chóng-sī pe̍h-oē-jī tio̍h khah tāi-seng, kiàⁿ-liáu nā m̄-tha̍k, lín bē hiáu--tit khòaⁿ goán pát-jīt só͘ ìn--ê. Sớ-í goán khó-khǹg lín chèng-lâng, ji̍p-kàu í-ki̍p thiaⁿ tō-lí ê lâng, lâm-hū ló-iù, bat-jī, [illegible]-jī ê lâng lóng-chóng tio̍h kín-kín lâi o̍h. Chhin-chhiūⁿ án-ni lín [illegible] ē hiáu--tit tha̍k chit-hō ê Kàu-hōe-pò kap gōa-chheh kap Sèng-[illegible] ǹg-bāng lín-ê tō-lí ná-chhim, lín-ê tek-hēng ná-chiâu-pī.

《臺灣府城教會報》創刊號（1885 年發行）。（資料來源：臺灣基督長老教會歷史檔案館）

宣教士 巴克禮（Thomas Barclay, 1849-1935）
（照片來源：國立臺灣大學圖書館）

宣教士 馬雅各（James L.Maxwell, 1836-1921）
（照片來源：國立臺灣大學圖書館）

鄭溪泮（1896～1951）（照片來源:新使者雜誌社（《新使者雜誌》第 49 期「台灣教會人物檔案」）

鄭溪泮白話文小說《出死線》，1926 年出版。（資料來源：長榮中學）

蔡培火（1889〜1983）
（照片來源：「開放博物館」公有領域標章）

蔡培火白話字散文集《Cha̍p-hāng Kóan-
kiàn（十項管見）》，1925年出版。（資
料來源：國立臺灣文學館）

就讀東京帝國大學期間的林茂生（右）
（1887〜1947）（照片來源：「開放
博物館」公有領域標章）

楊逵（1905〜1985）（照片來源：文訊・文藝
資料研究及服務中心）

莊松林（1909～1973）
（照片來源：臺南大學數位學習科技學系）

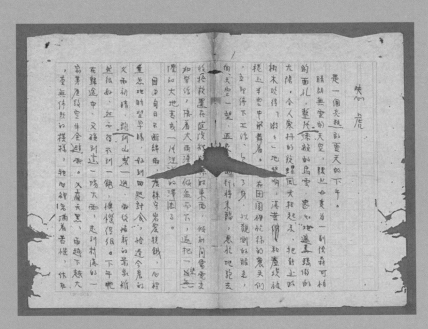

莊松林〈恁虎〉手稿，未標示具體年代。（資料來源：臺南大學數位學習科技學系）

連橫（1878～1936）
（照片來源：國立臺灣大學
圖書館）

連橫《臺灣語典》書封，中華叢書委員會，1957 年 8 月
出版。（資料來源：國立臺灣文學館）

許丙丁（1900～1977）
（照片來源：國立臺灣文學館）

許丙丁《小封神》書封，臺灣萬象書局，1966
年7月出版。（資料來源：國立臺灣文學館）

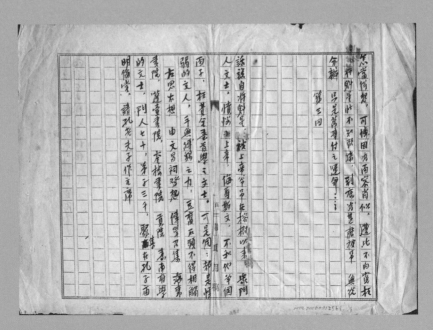

許丙丁《小封神》殘稿，年代不詳。（資料來源：國立臺灣文學館）

賴仁聲（1898～1970）
（照片來源：國立臺灣文學館）

賴仁聲《Khó-ài ê Siû-jîn（可愛的仇人）》書封，
台灣教會公報社，1960 年出版。（資料來源：國
立臺灣文學館）

王育德（1924～1985），應為王育德結婚時所攝。（照片來源：臺灣歷史博物館）

王育德於 1960 年創辦之《臺灣青年》創刊號封面。（資料來源：國立臺灣大學圖書館）

鄭良偉編《臺語詩六家選》，臺北：前衛，
1990 年。

鄭良偉於 1977 年創辦之《台灣語文月報》創刊號。
（資料來源：國立臺灣文學館）

〈台灣翠青〉鄭兒玉、李春鈴夫婦合影。（照片
來源：臺灣基督長老教會歷史檔案館）

鄭良光 1991 年 7 月於美國洛杉磯創辦《台文通訊》。
（照片來源：鄭良光）

《台文通訊》創刊號（1991 年於美國發行）。

臺灣第一個臺語詩社「蕃薯詩社」的主要創設
者林宗源。（照片來源：文訊・文藝資料研究
及服務中心）

《蕃薯詩刊》創刊號。

《蕃薯詩刊》

南瀛台語文學叢書：《李勤岸台語詩集》，
1995 年出版。

南瀛台語文學叢書：《黃勁連台語文學選》，
1995 年出版。

南瀛台語文學叢書：《莊柏林台語詩集》，
1995 年出版。

南瀛台語文學叢書：《凃順從台語散文集》，
1995 年出版。

南瀛台語文學叢書:《胡民祥台語文學選》,
1995 年出版。

南瀛台語文學叢書:《陳雷台語文學選》,
1995 年出版。

陳雷(1939 ～),本名吳景裕。(照片來源:陳柏宇)

施炳華（1945～）。（照片來源：施炳華）

呂興昌（1945～）。（照片來源：文訊・
文藝資料研究及服務中心）

王貞文（1965～2017）。（照片來源：王昭文）

台南市菅芒花台語文學會成立大會，1998 年 5 月。（照片來源：國立臺灣文學館）

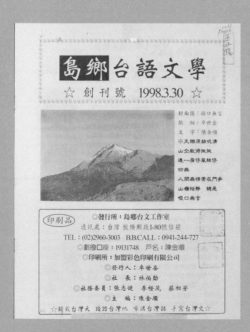

《島鄉台語文學》創刊號，1998 年 3 月 30 日。
（資料來源：國立臺灣文學館）

《海翁台語文學》雙月刊創刊號，
2001 年 2 月。

《臺江臺語文學》創刊號：許丙丁文學專題。

《臺江臺語文學》創刊記者會 2012 年 3 月 19 日舉行於臺南吳園藝文中心。
（照片來源：臺南市政府文化局）

臺南文學史

Tainan Literary History

臺語文學 卷

主編 陳昌明　　作者 呂美親

璀璨臺南四百　輝煌文學榮光

　　四百多年來,「青暝蛇」曾文溪不斷舞動它蜿蜒的身軀,變化莫測的移動過程在嘉南平原上潤澤出一片肥沃豐饒的土地,眾多流經此地的溪河,或流入倒風內海,或進到臺江內海,逐漸孕育成今日大臺南的風土。不同族群在此匯聚,文化間的碰撞、對話與積累,進而編織出形塑臺南文學的搖籃。

　　文學在臺南這塊土地扎根茁壯、開花結果,是無數文人、作家與熱愛這片鄉土的人們共同努力和投入的成果結晶。凡提及臺南文學,我們不能不提古典詩興盛的南社、充滿鹽分地帶地方采風的北門七子、超現實主義文學的風車詩社;以及諸如〈西拉雅吉貝耍開關鬼門傳說〉、《小封神》、《送報伕》、《臺灣男子簡阿淘》、《鹽田兒女》及《花甲男孩》等眾多臺南作家的文學作品。直至今日,臺南仍是許多作家的故鄉,或文學靈感發想與創作的筆耕之地。

　　臺南作為文化古都,市府為迎接 2024「臺南 400」,與國立成功大學合作編纂《臺南文學史》,由陳昌明名譽教授擔任主持人,集結施懿琳、

呂美親、鳳氣至純平、蘇敏逸、陳家煌、林培雅、廖淑芳、洪文瓊、薛建蓉、秦嘉嫄、趙慶華與許倍榕等臺灣文學領域之重量級專家學者撰稿成書，並與文訊雜誌社合作出版。《臺南文學史》全書共五冊，依時間軸從十七世紀古典文學到二十一世紀現代文學，橫跨數百年間不同歷史時期，涵蓋原住民口傳文學、臺語文學、兒童文學、神話傳說與民間文學等文學類型，彰顯臺南文學在臺灣文學史當中的重要意義及地位，更凸顯臺南文學的豐富與多樣。

　　臺南文學不只是地方文學，而是臺灣文學的歷史縮影。藉由回首臺南文學史，瞭解這座城市的前世今生，放眼前瞻未來臺南文學的可能性。臺南作為臺灣文學城市，將持續綻放其文學魅力，璀璨光彩輝煌下一個百年榮光。

臺南市　市長　黃偉哲

悠南文學好日　回首臺南

　　都說城市如詩，臺南這座城市所帶給我們的南方想像，像是重拾那些巷弄裡遙遠歷史的記憶，軸走在此時彼時漫長流轉的時間洪流，品嘗美食當中南風帶鹹的土地文學味，用指尖在書本紙張上的文字語句之間漫步，翻過一頁一頁的南土好日。

　　臺南便是如此充滿文學的城市。因此在即將迎接「臺南400」之際，無法忽視臺南文學史所占有的重要地位。本書《臺南文學史》自 109 年起與國立成功大學共同合作，歷時長達三年的時間，經過多位專家學者撰寫及審查委員審閱編校後，終於在今 112 年問世亮相。《臺南文學史》全書有五冊，分別為《古典文學卷：鄭轄～日治（1651～1895）》由施懿琳、陳家煌主筆；《古典文學卷：日治～戰後（1895～）／現代文學卷：日治（1895～1945）》由薛建蓉、施懿琳、許倍榕、鳳氣至純平主筆；《現代文學卷：戰後（1945～）》由廖淑芳、蘇敏逸主筆；《臺語文學卷》為呂美親撰寫；《現代戲劇卷‧兒童文學卷‧神話傳說與民間文學卷》則是秦嘉嫄、洪文瓊、趙慶華、林培雅主筆。總計文字量超過一百萬字，可

見其纂修資料之豐富及繁複。

　　在此感謝擔任計畫主持人的陳昌明名譽教授不辭辛勞，召集編纂撰寫的專家學者們皆為一時之選。以及感謝三年期間協助審查的委員張良澤、廖振富、江寶釵、王建國，總是在忙碌之餘熱心提供許多貴重建議。並特別感謝國立成功大學的支持，讓如此有劃時代意義的《臺南文學史》得以順利完成。

　　猶如出身臺南的臺灣文壇巨擘葉石濤所言「沒有土地，哪有文學」，大臺南是個多元文化交匯的所在，蘊含厚實歷史文化能量，百年以來激發許多來往此處的騷人墨客們創作書寫的靈感，稿紙落筆之處盡是字句耕耘。文化局將持續以文學城市為願景，發掘更多臺南文學獨有魅力，期待《臺南文學史》能讓更多人認識臺南文學不僅只是回望臺灣文學史當中的一頁篇幅，而是悠然自在地寫下屬於自己的文學好日。

臺南市政府文化局　局長

國立成功大學校長序
臺灣地方文學史的永恆資產

　　在臺南生根立足、成功大學近百年的發展一直與府城共好共榮，也為其迤邐綿長的城市風華鑲嵌著曖曖含光的驕傲！

　　「2024臺南四百」也是臺灣四百、更是各界矚目的文化大事。於此關鍵時刻，我有幸在校長任內與師生一起貢獻！從推動「臺灣學研究」，包括「熱蘭遮城400：世界體系與影響」、「偎海e所在」、「如何成為臺灣人」；相關策展，例如：「城東有成——成大╳印象╳臺南」、「鯤首之城：十七世紀荷治福爾摩沙的熱蘭遮堡壘與市鎮」、「1643熱蘭遮虛擬實境：堡壘、市鎮與市民特展」；也在歷史現場舉辦以「走讀府城，重回熱蘭遮城時代」的論壇；無一不在為城市的過去尋溯更多觀照的視角，讓她多元飽滿的面貌漸露光影，為我們所見。

2019 年終之際，本校在行政與經費上全力支持，與臺南市合作「四百年臺南文學史」，由陳昌明教授統籌。參與資料蒐集、編寫的校內外專家學者皆為一時之選，呈現恢弘的視野，更推進了臺灣地方文學史的書寫層次，可謂當今最系統性、亦是首見涵蓋各文類的大作。

　　國立成功大學素以成為一所能夠回應社會與世界關鍵議題的大學為使命，期待未來得以持續透過與臺南文化內涵的深度結合，驅動出更豐富的文學研究與活動，為師生擴展更多樣的共學場域，建立使大學、文化與社會得以永續發展的基礎，也為下一個四百年的臺南文學史留下不可替代的永恆資產。

國立成功大學第十七任校長　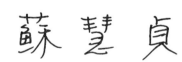

主編序
追溯文化根源

　　四十多年前就讀成功大學，當時臺南對我是純然陌生的都市，只知小吃豐富，古蹟林立。因為師友的帶領，才慢慢辨識這個城市的紋理，深刻感受此城市歷史文化的魅力。大二開始，拜訪過葉石濤、黃天橫、趙雲、蘇雪林、紀剛、林宗源等人，初識前輩文人風采。又跟張良澤老師、張恆豪、張德本、許素蘭、陳國城（舞鶴）在筆鄉書屋校看《前衛》雜誌；因緣際會下與班上同學帶李喬、洪醒夫尋訪玉井噍吧哖故地，都開啟我對臺南文學與歷史的認識。三十多年前回成大任教，幫文化中心籌畫臺南市作家作品集，後來擔任臺灣文學館副館長，更有機會蒐集前輩作家作品，接觸更多當代作家。其中與楊熾昌多次聚餐，呂興昌、陳萬益、林瑞明、葉笛以及南臺灣作家經常性的聚會，優游臺南作家之中，算是對臺南文學的初步認識。而開始編纂文學史，才是對臺南文學的深度感受。

　　臺南是文化古都、全臺首學，文化教育開發甚早，可謂人文薈萃，俊才輩出。不管在文學創作或文化活動上都成果斐然，其中文人創作甚多，留下傑出佳篇，形成臺南文學。所謂「臺南文學」乃指籍隸臺南或曾居臺南，或以臺南的人、地、事、物、景等為題材所創作出來的文學作品，包括口傳文學、古典文學，日治時期文學，以至戰後現當代文學。在府城建

城四百年出版一部臺南文學史，是文化界眾所期盼之事。過去雖有學者撰寫相關著作，如彭瑞金教授的《臺南文學小百科》、龔顯宗教授《臺南縣文學史（上）》，及日本大東和重教授《台南文学の地層を掘る》等著作，都貢獻卓著，但因為篇幅無法呈現前後相承的完整性。因此有意藉此機會，召集志同道合的學術伙伴，共同來承擔這次《臺南文學史》的編纂工作，希望在文類與歷史的傳承上有較深入的探討。

　　臺南自 1624 年荷蘭東印度公司築安平築熱蘭遮城開始，至 2024 年將屆滿 400 年，所以明年將有系列慶典活動，也會透過「博覽會」形式，探討臺南城市發展與文化構築等相關議題。三年前時任文化局的葉澤山局長，為籌畫臺南 400 年相關活動，委請我編纂臺南文學史，當時我正想退休而婉拒。他轉而與成大蘇慧貞校長洽談，蘇校長對我說，不論我是否退休，成功大學作為位居臺南的頂尖大學，似乎責無旁貸，希望我能接任。於是請我召集學者，古典文學委請施懿琳、陳家煌主筆，日治時期古典散文、日文現代文學、漢文現代文學由薛建蓉、鳳氣至純平、許倍榕主筆，戰後現代文學由廖淑芳、蘇敏逸主筆，現代戲劇由秦嘉嫄主筆，臺語文學由呂美親主筆，口傳文學由趙慶華主筆，次年又加入兒童文學，由洪文瓊

教授主筆，然口傳文學因趙慶華工作繁忙，由林培雅老師接手，林老師重新改寫神話傳說與與增加民間文學，成為新的面貌。每位教授都在忙碌的研究工作中，願意撥出時間擔任此辛苦工作，熱情讓人感動。

　　撰作之初，困擾最大的是體例建構與寫作的方式，所以一開始的籌備會，由幾位教授們討論彼此的分工，臺南文學史撰寫體例則由我初擬，原則上將臺南文學史分成幾個領域，即上述的口傳文學、古典文學、日治時期日文文學、日治時期漢文學、現當代文學、戲劇、臺語文學等方面，後來在執行九個月後，因為臺南作家作品集發表會上，兒童文學作家陳玉珠提出，臺南文學史應加入兒童文學，次年才委請洪文瓊教授加入團隊。至於各領域敘述則以時間軸為主，章節由各領域撰寫老師安排，每一章節前有一文學演變的總敘述，透過時間軸繫人（作者）、繫事（重要文學事件）。時間的標示，以西元紀年後附年號，作者首次出現標生卒年，其他引文或附註形式細節，也都透過體例說明，我們都知道每位寫作者有自己的寫作習慣，但在要求較淺顯易讀的情況下，希望能有其嚴謹性。然而分工整合的部分最難處理，我們一開始採分類各自書寫方式，但又怕有些跨時代與跨文類作者會有重複的問題，經過顧問會議，邀請陳萬益、彭瑞金、龔顯宗三位教授提供經驗，文學史以時間軸為主，部分寫作在時代與文類上進行協作。到第二年末我們又進行了一輪體例的修訂，由於有個別寫作的差異，文類上又進行了拆解，為了尊重撰寫老師各自的特性，乃成為今日的面貌。

　　府城建城 400 年，臺南文學當然不只 400 年，臺灣作為矗立海上千萬年的美麗島嶼，原始初民在六千多年前已活躍於這塊土地上，然而原住民透過口說相承，缺乏文字記載，早期的文學殊難查考。本文學史提到臺南

西拉雅口傳文學，涉及新港社、目加溜灣社、麻豆社、蕭壠社等平鋪族群，乃根據 1628 年荷蘭牧師喬治 甘迪留斯（Georgius Candidius）《臺灣島略說》的記載。清朝陳第《東番記》、黃叔璥《臺海使槎錄》僅提供少數原住民口傳文學與傳說。對原住民較大規模的調查要等到日治時期，我們今日所見如佐山融吉、大西吉壽《生番傳說集》，小川尚義、淺井惠倫《原語にょる臺灣高砂族傳說集》，都是日治時期調查的重要文獻。更早的資料難以索求，我們只能透過想像，那個林野開闊，百萬野鹿奔騰於嘉南平原上，茫昧缺乏紀載的時代。

所以臺南文學史雖涉及原住民口傳文學，實際主軸卻從漢人的傳統文學開始，雖非故意呼應府城建城 400 年，無意中卻不謀而合。古典文學從明鄭、清領至日治，沈光文設帳講學始，我們會看到許多府城膾炙人口的掌故，以及精采多元的佳篇。施懿琳與陳家煌兩位教授長期從事相關研究，提供我們宏觀的視野，古臺南的生活景貌，仕紳往來，盡收眼底。於是我們會接觸到如沈光文、朱術桂、陳永華、鄭成功、鄭經、郁永河、孫元衡、黃叔璥、陳輝、章甫、施瓊芳、劉家謀、許南英、施士洁、蔡國琳、蔡碧吟、羅秀惠、楊宜綠、連橫、黃欣等知名文人。我們今日遊府城時，聽到耆老談到赤崁樓、孔廟、五條港、米街、關帝廳、大舞臺、新町……這些老地名，或者進入小巷，與荷蘭、明鄭、清領、日治等各個時代的歷史痕跡相會面，透過臺南文學史的映照，會有更深層的認識。所以至赤崁樓，會讓人懷想施瓊芳、施士洁父子兩進士故居，至水仙宮則可遙想章甫的〈水仙宮志〉。總之，這些古典文人作品處處可與府城生活相輝映。

至日治時期，漢詩文與現代文學的承轉，也對應到政治演變所引發文學社群的質變。從古典文學進入現代文學的寫作，也有新舊文學交替的問

題，最明顯的如古典文學跨越日治時期，有著新舊文學各自爭鋒，加上日語的書寫，形成複雜的多樣面貌，所以在寫作上除了古典詩，又加入漢文小說、散文，以及漢語現代文學、日語現代文學的分類。這些新舊文學交錯時代，有許多作者跨越新舊文類寫作，如黃欣、王開運、洪坤益、許丙丁等。其中楊宜綠作為傳統古典詩人，他的兒子楊熾昌在日治時期成立「風車詩社」，標榜法國象徵詩派，是臺灣最早的超現實主義書寫者，父子兩人正代表古典至現代的轉型。而現代文學的風潮是隨著現代文明與現代生活產生的作品，相映於臺灣當時與現實政治抗爭的年代，臺灣文藝聯盟佳里支部的成立，關懷故土與生活的居民，隱然與殖民主義相對抗，楊逵、鹽分地帶文學群、以至葉石濤，都有此種精神的延續。當然，臺南也有仕紳文人風花雪月的一面，詠嘆景物、居食、藝文之美的篇章，別有風光。

臺南現代文學的發展非常精采，類型多元且人才薈萃。書寫過程以時序先後撰寫，後來又將文類區分開來，曾經多次修訂改版，負責戰後現代文學的廖淑芳與蘇敏逸老師又都重視文本閱讀，改版過程頗為辛苦。但也讓我們從新巡禮了葉石濤、楊逵、吳新榮、郭水潭、許丙丁、姜貴、紀剛、蘇雪林、周梅春、林宗源、許達然、楊青矗、葉笛、呂興昌、林瑞明、林佛兒、白萩、羊子喬、桑品載、黃武忠、蔡德本、黃勁連、袁瓊瓊、蘇偉貞、舞鶴、蔡素芬、趙雲、王家誠、張德本、陳耀昌、陳正雄、鹿耳門漁

夫、張瀛太、賴香吟、鴻鴻、利玉芳、顏艾琳、孫維民、張耀仁、伊格言、邱致清、施俊州、黃崇凱、楊富閔等作者。臺南文學史有許多過去文學史較少碰觸的分類，前文已提及，譬如將日治時期漢語古典小說、散文與現代文學分開，又獨立書寫日文現代文學，幸好近年相關研究已較成熟，建蓉與倍榕兩位老師幫忙彙整。日文部分則請日本來臺研究臺灣文學的鳳氣至純平老師幫忙，也得以順利進行。戲劇與兒童文學在傳統文學史頗受忽略，這部文學史則將此兩文類委請秦嘉嬿與洪文瓊老師撰寫，以示重視。而臺語文學的編著，是臺南文學史不可或缺的一環，全國各地雖有臺語文作家，但沒有能像臺南這樣的質量與重量，雜誌、作品、人才輩出，委請移居於臺南，在臺灣師範大學從事相關研究與教學的呂美親教授撰寫，是熱情又適當的人選。

臺南作為全國開發最早的古都，文化的展現豐富多元，許多文人風貌，歷史掌故口耳相傳，或經文字記載下來，成為今日我們認識己身文化、認識臺灣土地的憑據。這部臺南文學史相當龐大，是追溯文化臺南的重要著作，能夠完成殊為不易。然臺南文學史今雖有紙本出版，未來更重視可讓讀者在網路查索，而且出版後若有遺漏需增補，或錯誤需修訂，希望可在網路版本繼續進行。文學史的撰寫不可能完美，但我希望臺南文學史是一部可以滾動修正，讓讀者愈來愈喜歡的文學史。

《臺南文學史》編纂主編
國立成功大學中文系名譽教授　

目錄

臺語文學卷　呂美親

前言

　　「舊臺南市」是臺灣最早開發的城市。「府城」之名歷史悠久，無論是林立境內的廟宇或古蹟等獨特建築，或是傳承百年的飲食人文與風味，在臺灣各縣市當中可謂獨樹一格。而「舊臺南縣」占據嘉南平原的大半，其農村風情、漁業風光、鄉間風土、街町風物，充分表現南臺灣的在地人文特色。尤其近現代以來，相較於臺北及近首都圈的環境與人文面貌因都市化有較遽然的改變，臺南因地理位置與文化的深化程度，使其在文化及語言等各方面的保留、傳承與拓展之積極性，特別是對於「母語」的使用習慣與堅持，都可謂在其他縣市之上。也因此，論及「臺灣文學」作家，臺南出身者輩出；而論及「臺南文學」，則「臺語文學」的作家與作品，更是無法忽視的存在。甚且可以說，臺灣重要的臺語文學運動者、推廣者及作家，一半以上都出身於臺南。

　　「臺語文學」的形成及發展，與「臺語文字」的現代化及標準化的走向等過程，有著密不可分的關連性與連動性。隨著西方文明的引進，以及日本統治時代以後所帶來的種種近代化，促使原來存在於臺灣的「文學」之形式也跟著近現代化；古典漢文的書寫方式，逐漸受到日趨強大的挑戰與改革。除了眾所熟知的一九二○年代以降的「新文學」運動，以及一九三○年代的「鄉土文學」與「臺灣話文」論爭，對於如何以「白話文」創造現代文學、如何以漢字書寫口語的種種討論之外，以基督教長老教會圈為首的「白話字」（Pe̍h-ōe-jī）書寫運動，不僅早先於以漢字為主的新文學發展，也大大地影響了日後臺語文學的文字形式與文學觀點。

　　雖然百年多來，臺灣經歷過包括日語及北京話等兩度的「國語」教育，書寫所謂「臺灣話」的「臺語文字」之現代化，在不少階段多受阻撓而無

法與時代同進，戰前的許多作家成為日語作家，而戰後的臺灣作家也多傾向華語寫作，但在每個時期，知識分子及作家們都有對於「以母語書寫文學」的突破性之嘗試、討論及一連串的運動，且所實踐寫作出的文學作品，至今也已有相當多的累積。無論文字的形式如何，吾人現今談及「臺語文學」，所指的即多是以臺語的現代白話之書面形式，以及較口語的表現形式，所書寫出的文學作品；且寫作者也不再僅限於知識階級，或者是得以掌握較多經濟及文化資本的階層。

　　而就不同文字形式所呈現的文學面貌而言，無論是清末之後以俗稱「白話字」的「教會羅馬字」書寫、刊載於《臺灣府城教會報》（後《臺灣教會公報》）等媒體的「白話字文學」，或者日本時代以「漢字」書寫並發表於《三六九小報》等報章中刊行的半文半白之臺語小說或散文作品，甚且是戰後乃至解嚴以降，以全漢字、全羅馬字，或者「漢羅並用」的書寫方式，所發表的現當代臺語文學作品，其大半的產出地就是在臺南；並且主要是「舊府城」所在地，即原臺南市中心。如前所述，由於百年來的統治政權更迭，臺灣在戰前與戰後歷經不同的語文運動；其中，語文運動也促使「文體」的變革，就臺語而言，從舊漢文到臺語白話的書寫，到落實口語文字標準化的過程相當艱難，較純粹的臺語書寫一直受到間斷，尤其日本統治下的戰爭期間，以及戰後的戒嚴時期，臺灣話文學、臺語文學的討論與寫作，遲遲無法順利進行。

　　然而，隨著解嚴以來的種種文化性的突圍，尤其在一九九〇年代以後，出發自民間及文化人的臺語文學運動，其努力與成果逐漸受到官方更多重視。一方面 2006 年教育部公布了臺語的推薦漢字與羅馬字方案，臺語文字正式走向標準化；另一方面，也是在 2000 年以降，教育部、臺灣文學館等官方文學獎，乃至部分縣市舉辦的地方文學獎，也增設母語文學類的獎項。相較於其他的地方文學獎僅增設「臺語詩」的獎項，唯有「臺

南文學獎」含括了「臺語小說」、「臺語散文」、「臺語詩」三種文類之獎項。雖然這些獎項的徵文對象並不限於臺南出身者，但投稿者為臺南人的比例仍然相當高。無論從歷史或當代的面向來看，臺南都是臺語文學發展的重鎮。

以下，筆者先簡要說明本卷所介紹的「臺語文學」之範疇與文字的使用，提供讀者們對於全篇內容有較明確的掌握。

首先，本卷中介紹及討論的是近現代以來的「臺語現代文學」相關作品。雖然明清以降的臺灣漢詩文作品，若是作家為臺籍者，其詩文想當然爾也是以臺語發音，或者客家人所作之文則以客家話讀寫。然而，就文體而言乃屬「文言文」，其與近現代的「臺灣話文」、「臺語文」之生成條件與背景，以及發展方向完全不同。因此，漢詩文相關的介紹請參考「古典文學」的部分。而雖臺語文字亦有約定俗成的使用，其「規範化」也是較晚近之事，即 2006 年以降，教育部陸續公布「臺灣閩南語羅馬字拼音方案」（臺羅）及推薦用字（臺語漢字），臺語文字的標準化大致抵定。若是重新檢視日治時期的新文學運動作品中，的確有不少作品模仿中國白話文的寫作，不過作家或讀者可能以臺語的「文言音」、「白話音」或「訓讀」等混用方式來書寫或閱讀漢字作品，而這些作品的討論，也有另一個文學運動的脈絡背景，這方面可參考《臺南文學史‧現代文學卷：戰後（1945～）》的篇章。又，本卷多聚焦於由作家個人以較現代臺語之書面及口語的臺語文字所創作的作品，因此，以全臺語表現的民間文學，例如故事、傳說、歌謠等較集體性的文類，則請參考《臺南文學史‧現代戲劇卷‧兒童文學卷‧神話傳說與民間文學卷》的篇章。

第二，為便於現當代及未來的讀者閱讀，本卷在引用臺語的文章或文學作品時，將盡可能以規範化的用字來呈現。就臺語文字的形式而言，主

要分有三類：一為「漢字」，二為「羅馬字」，三則是受兩者影響而發展出的「漢羅並用」之文字形式。因臺語漢字原就有「文言音」、「白話音」，以及「訓讀」（例如「一字多訓」、「多字一訓」）等多種讀音，且從「舊文體」（文言文）過渡到「新文體」（白話文）的期間，多有介於兩者之間的種種過渡性文體（各種程度不一的半文半白文體），尤其是在口語的書寫方面，也常有使用借音或借義的假借字，而使得文字面貌總有混亂不一的現象。本卷中引用的作品，除了部分為了保留其作為研究論據的參考，主要以教育部的推薦用字呈現。

關於羅馬字文獻的引用，許多出自基督教長老教會的白話字文學，其原文全以教會羅馬字書寫；而戰後亦有不少民間寫作者或政治犯於獄中創造出不同書寫法的羅馬字，其中幾種書寫系統在解嚴前後隨著語文運動的推展，也各自擁有一些使用群。另外，以教會羅馬字書寫的文獻中，因技術性的關係未標明音調符號，或者在書寫或印刷時出現誤植等等，這些過渡時期的作品相當多。為使今人便於閱讀，全羅馬字的引文主要以教育部用字改寫，並以「漢羅並用」的形式呈現。而其他原以漢羅並用之作品，則引用時僅更改其用字，漢羅使用的比例盡可能不更動太多。

第三，本卷中論及的「臺語」，乃沿用自歷史發展與民間慣用的範疇來定義，即一般約定俗成的「臺語」，必要時亦以「臺灣話」、「臺灣語」、「福佬話」、「Hō-ló 話」等文獻中使用的名詞呈現。而現當代的「臺語」、「臺灣話」，就廣義而言，也包含客家話及原住民語等本土語言。尤其隨著「母語文學」的推展，臺南也有少數以客語書寫的作家，本卷第七章也將以一些篇幅來介紹兩位定居臺南的客語作家及其作品。簡言之，雖本卷所論及的「臺語文學」，主要以現代「臺語」的文字形式所寫的文學作品，但也將稍加介紹部分的客語文學作品；而這樣的範疇，也有作為對於一九九〇年代臺語文學運動者提倡各族群以母語寫作文學的呼應意義。

第四，雖本卷聚焦於現今行政單位屬臺南市地區之臺語文學發展，但文學運動與書寫風潮皆非孤立，不僅可能有移動性或連動性等，所影響的範圍也可能擴及全臺與海外，甚至幾位長年居於海外，並於海外推廣臺語文字及文學的重要作家，或又是作為將運動影響回臺灣的重要人物，也多出身於臺南。因此，本卷將視行文敘述所需，部分段落也將論及臺南以外的文學運動及倡議，或者語文的相關論述及脈動。

為使讀者能較快速地了解臺南的臺語文學之發展與概況，以下說明本卷的編排考量，並簡要介紹各章內容。

論及臺語文學，或者近現代的臺灣文學，都應該會注意到由英國來臺宣教的牧師巴克禮（Thomas Barclay, 1849-1935），其於 1885 年 7 月 12 日在臺南創刊的《臺灣府城教會報》[1]（Tâi-oân-hú-siân Kàu-hōe-pò）。這份報紙自發刊至 2023 年的今日，已有近 140 年的歷史。該報中採用的臺語文字書寫系統「白話字」，或稱「教會羅馬字」，不僅被使用的時間非常長（以全羅馬字刊行超過 80 年），對臺語文學的文字發展，或者對於現當代的臺灣文學之史觀論述，都產生極大的影響。雖然該報現今已改以中文發刊，但其可謂臺灣的近代媒體傳播的發端，所累積的龐大史料，對於研究臺灣教會史，或者部分的地方教會史之研究者而言，更是不可或缺的參考對象。另外，因使用的臺語文字以「白話」呈現，書寫的是臺灣人的「口語」表現，其中刊載諸多的報導文學、現代散文、小說、翻譯作品等，為臺灣近現代文學的發展初期留下諸多豐富的文本，也為臺灣現代文學史的考察，提供相當豐富的材料。且就作品的產量而言，較長篇的戲劇、小說等文類，都不亞於其他同時期的漢字白話文或日文作品。

1——《臺灣府城教會報》自創刊至今以來歷經數次更名，包括：「臺灣府城教會報」（1885～1891）、「臺灣府教會報」（1892）、「臺南府城教會報」（1893～1905）、「臺南教會報」（1906～1913）、「臺灣教會報」（1913～1932）、「臺灣教會公報」（1932～1942）、「臺灣教會月刊」（1945～1947）、「臺灣教會公報」（1948～）等。1969年12月的1051期起，改以華文刊行，此前的語文皆為臺語的教會羅馬字。

雖然「白話字」原主要被使用於基督教會的宣教人員與信徒之間的教義傳達與接收，但從一九二〇年代的「新文學運動」開始，曾任職於臺南第二公學校、而後留學早稻田大學，並擔任《臺灣青年》雜誌的編輯及發行人的蔡培火（1889～1983），便積極將白話字普及於臺灣知識圈，例如《臺灣青年》創刊號封面即可見英文加上白話字標題：「The Tâi-oân Chheng-liân」。蔡培火以羅馬字作為普及教育的文字基礎，讓「白話字」漸漸受到非基督教圈以外的一般人士接受與使用，甚且也逐漸被作為臺語漢字的標音輔助符號來使用。

　　臺灣新文學運動於一九二〇年代初期開展，新一代的作家開始嘗試將漢字加以改革用以書寫白話文作品，而更年輕的世代也逐漸以日文書寫臺灣的現代文學。但於此同時，蔡培火的臺語散文集《Chạp-hāng kóan-kiàn》（十項管見，1925），以及同為臺南出身的鄭溪泮（1894～1951）之臺語長篇小說《Chhut Sí-sòaⁿ》（出死線，1926）已經出版；這兩部著作於臺灣的文學史或文化史皆極具意義。而不僅是創刊《臺灣府城教會報》的巴克禮牧師以及同時期的外籍臺語白話字作家留下諸多臺語作品，其他如前述的蔡培火、鄭溪泮，或者林燕臣（1859～1944）、林茂生（1887～1947；林燕臣之子，臺灣首位留美博士）、賴仁聲（1898～1970）等與臺南有地緣關係的白話字作家，於當時的社會與文化運動也都已有一定的影響力。

　　而正值「鄉土文學與臺灣話文論爭」時期的一九三〇年代，普羅文學家楊逵（1906～1985）、民間文學作家莊松林（1910～1974），也都曾留下較長篇的臺語文學創作。另外，於臺南發刊的《三六九小報》，也

可見連雅堂（1878～1936）、許丙丁（1899～1977）等傳統文人以淺白口語書寫的臺灣話文所發表的文學作品。還有一位較被學界遺忘的作家，則是留學早稻田大學、以現代科學研究臺灣話，且在臺灣話文論爭幾乎結束之後，仍對於臺灣話文提出具體建議的社會學者郭明昆（1908～1943），其亦是出身臺南麻豆的望族。郭明昆在日治末期發表許多語言及社會變遷的研究論文，且曾以筆名郭一舟於《臺灣文藝》發表三篇篇幅相當長的臺灣話文作品，可惜於戰爭時期英年早逝，其論述未能在當時發揮較大的影響。簡言之，無論是西方引進的羅馬字書寫系統，或者是臺灣承襲漢文化的漢字書寫系統，對於臺語文字及文學的現代化工程，臺南出身的知識分子，在日治時期已投入相當大的努力。

而即便白話字文學的出版，看似與新文學運動的發展呈現兩個平行軸線，但若置於與文學運動不可二分的「語文改革」運動之框架來看，卻也並非全無交集。尤其一九六〇年代以降，另一位出身臺南、於二二八事件之後流亡日本，且成為第一位以研究臺語而取得博士學位的王育德（1924～1985），其所提出的「漢羅並用」之臺語書寫，以及對於將來臺灣文學的文字使用之意見，自一九七〇年代後半開始對於海外的政治與文化運動者的影響逐漸擴大。含著政治意義的語言主張，也在一九八〇年代以降與民主化運動當中形成的民族主義結合，而讓日後臺語文學的寫作與論述，有了更具體而飛躍性的發展。

解嚴之後，伴隨著臺灣民主化的社會力量與臺灣文學體制化，臺語的文字化與文學化也逐漸得到確立，即便在用字上仍有爭議，但臺語作家輩出，其中臺南出身者或與臺南有地緣關係者皆不在少數，例如林宗源（1935～）、胡民祥（1943～）、陳雷（吳景裕，1939～）、黃勁

連（1947～）、鄭良光（1949～）、莊柏林（1932～2015）、李勤岸（1951～）、鹿耳門漁夫（蔡奇蘭，1944～）、方耀乾（1958～）、藍淑貞（1946～）、陳金順（1966～）、周定邦（1958～）、王貞文（1965～2017）……等等，創作文類極廣，作品思想亦極具深度。甚且，一九九〇年代以降，臺語文／文學運動高峰時期，許多臺語文學刊物都是臺南發刊，由臺南在地作家群積極投入編務與相關活動，包括《蕃薯詩刊》、《菅芒花詩刊》、《菅芒花臺語文學》、《島鄉臺語文學》、《海翁臺語文學》等臺語文學雜誌。其中，《海翁臺語文學》月刊自2001年創刊至今已二十餘年，刊行不輟，於現今中小學臺語文學的教育與推廣，以及當代臺語文學發展都頗具影響力。

　　而由於2006年教育部頒定了臺語常用漢字與臺灣羅馬字，而後也每年舉辦閩客語文學獎競賽，尤其縣市合併之後，臺南市文化局自2011年舉辦首屆「臺南文學獎」以來，每屆設有臺語小說、散文、新詩的徵文項目，不僅培養諸多臺語文學作家，更讓高雄、臺中等其他縣市的文學獎跟進新增臺語文學的獎項。臺語或客語文學獎和臺南文學獎的徵文對象，雖來自臺灣全國各地，但其中臺南出身的作者也多是文學獎上的常勝軍，包括陳正雄（1962～）、陳建成（1960～）、王羅蜜多（王永成，1951～）、柯柏榮（1965～）、周華斌（1969～）、杜信龍（1981～）……等等，無論是作品的質與量，都在水準之上。

　　更值得一提的是，全國首部由官方支持推動而發刊的臺語文學季刊《臺江臺語文學》，即是由臺南市文化局於2012年始主導刊行。前述的許多作家之作品，也常發表於此。從臺南出發，帶動其他縣市更多母語文學的創作與發表，形塑出臺南文學較其他地域文學更重視母語、母土文化

的書寫與拓展之一大特色。截至目前為止,《臺江臺語文學》都仍是全臺灣唯一一部由官方支持所出刊的臺語文學雜誌。本卷最末,除了如前所述,將介紹部分的臺南客語作家之外,結合音樂的詩歌文學,從現代文學發展之前就已活躍在民間,尤其戰後不少臺語詩作多有押韻且適合入歌,且晚近的流行音樂也大量汲取民間文化元素來呈現獨特性。因此,本卷也將介紹三位出身臺南的音樂創作者,並稍加評述其歌詞的文學性與社會性。

綜上所述,本卷《臺南文學史‧臺語文學卷》將介紹從清治末期至現當代約一百多年來,臺南地區的近現代臺語文學之發展史與重要作家及作品。而所撰寫的對象除了以臺南出身或具地緣關係的臺語作家及其作品為主,其中也包含重要的報章刊物、推動者、研究者、團體、文學類型、文學現象等。就章節的編排順序而言,本卷分為六個章節,以縱向的歷史發展作為敘述主軸,並輔以包含共時的空間之運動與書寫論述之橫向視野,來介紹臺南的臺語現代文學之發展與面貌。

第一章

臺語現代文學的發軔
——府城與白話字

隨著漢民族的大量來臺與長久定居，漢文化於臺灣的發展，在十九世紀末期的臺灣社會經逐漸生根；所謂的傳統文化，也多以漢文化為指涉。文字書寫方面，知識階層以「漢文」作為教養的基礎，讀書市場也以漢文作為主要的流通。

　　就民間宗教信仰相當根深蒂固的臺南而言，各式廟宇中所見的「文字」與其所給人的文學想像，無不以古典的漢文為主。當然，這些「漢文」在當時主要是以臺語的「文言音」被閱讀的。這樣以漢文作為傳統文化主流的狀況，到日本統治中期仍持續著。正如王育德在自傳中回憶到就讀公學校時，老師曾因教室漏水而帶著學生們至孔廟上課，而受過漢文教育的王育德即以臺語的文言音讀出孔廟明倫堂中的《大學》：「大學之道，在明明德，在親民，在止於至善。知止而後能定，定而後能靜，靜而後能安，安而後能慮，慮而後能得。……」[2]

　　然而，在臺灣還未成為日本殖民地、以受殖經驗者之姿走向現代化之前的清治末期，隨著大英帝國的勢力往東擴張，尤其是鴉片戰爭後，清國政府向英方開放五口通商（廣州、福州、廈門、寧波、上海），更多傳教士進入中國沿岸傳教，而後也前往臺灣。基督教在臺灣的傳播，也促成了臺灣語文的極大變革。雖然十七世紀的荷治時期，臺南一帶的平埔族部落中已有俗稱「番仔契」（Huan-á-khè）的「新港文書」之流通，但隨著平埔族逐漸受到漢化，記錄平埔族語言的文字也因語言的流失而逐漸不被使用，在語文現代化的潮流來臨之前，便成為被淹沒於歷史一隅的古老文獻。

　　臺語文字的現代化與口語的書面化，以及其開始促成現代文學作品的寫作契機，既往多從一九二〇年代以降的「新文學運動」所提起的「臺灣

2——參考王育德著，吳瑞雲譯，《王育德全集15：王育德自傳》，臺北：前衛，2002年7月，頁82。

語言的改造」、「白話文學的建設」（張我軍語）等一連串的討論與實踐談起。然而，在諸多史料陸續被出土與研究，以及對臺灣新文學的史觀重新思考與討論之後，我們可以知道，臺灣的現代「白話文學」之書面化與落實，應溯自英國宣教師來臺時所普及的「白話字」（Pe̍h-ōe-jī，教會羅馬字），以及以其書寫的文學作品。尤其是英國牧師巴克禮前來臺灣宣教，且於 1885 年創辦《Tâi-oân-hú-siaⁿ Kàu-hōe-pò》（臺灣府城教會報，即今《臺灣教會公報》，以下簡稱《教會報》）之後，因為報刊的語文傳播，也促成了以臺語口語所書寫的現代白話文學之發展；而這份刊物的發刊地點，正是臺南府城。雖然白話字的使用範圍原僅在於基督教圈，但隨著新式教育的導入與建設臺灣新文化等外在的現代文明意識及行動的影響，白話字漸漸受到非基督教圈的重視，也成為戰後的臺語文字的規範討論及臺語文學發展的極大助力。

　　本章主要介紹自清治末期的 1885 年到日本統治時代中期，「白話字」的傳播及以其書寫的文學作品之形成與開展。這個形成與開展的過程大致可分為四個階段，即：基督教義的宣傳、宗教文學的實踐、白話字的「世俗化」、白話字與現代文學倡議。而本章也將以巴克禮、鄭溪泮、蔡培火、林茂生這四位白話字的推動者與作家為主軸，來說明白話字在臺灣生根的四個重要階段與意義，而這四人與臺南皆有極深的地緣關係，也是這四個階段當中最重要的代表性人物。

　　談及巴克禮的白話字傳播之前，不能不先提及另一位宣教師馬雅各。

　　馬雅各（James Laidlaw Maxwell, 1836-1921）是生於蘇格蘭愛丁堡、於愛丁堡大學取得碩士及醫科學位的醫生傳教士。他在英格蘭伯明罕的醫院任職期間，從回國的杜嘉德牧師（Carstairs Douglas, 1830-1877）口中聽到 Formosa，便決定前往臺灣。1864 年 10 月，馬雅各醫師在臺南的看西街（Khuànn-sai-ke）開始行醫與宣教的工作，但期間遭到排擠且引起暴動，只好轉往有英國領事館保護的打狗旗後街。1866 年 6 月，他在旗後建立臺灣基督長老教會的第一座正式禮拜堂「打狗禮拜堂」（今「旗後教會」），而後又回到臺南宣教，且建立醫館、開設亭仔腳禮拜堂（今「太平境教會」）。馬雅各在臺灣期間，也深入原住民族及平埔族部落行醫傳道，且還以廈門音翻譯新約聖經。

　　1880 年，馬雅各奉獻一臺印刷機與相關的印刷工具，這個奉獻，便促成了後來臺灣第一家印刷所「聚珍堂」的設立，以及臺灣第一份報紙《教會報》的創刊。而「聚珍堂」的設立者與《教會報》的創刊者，便是 1875 年來臺宣教的巴克禮牧師。

　　生於蘇格蘭格拉斯哥的巴克禮（Thomas Barclay, 1849-1935），於 1872 年取得神學院學位，並開始宣教工作。1874 年，巴克禮先於廈門學習廈門話，翌年才前來臺灣。他先從高雄登陸，在高雄與臺南皆設傳道所，而後於臺南成立「臺南神學校」（今「臺南神學院」）。馬雅各雖在 1880 年奉獻了印刷機，但當時沒有人知道如何使用，翌年巴克禮返英時，便努力習得印刷技術，1884 年來再回到臺灣後，隨即投入出版工作，並於 1885 年創刊以白話字書寫印刷的《教會報》；報社原名「聚珍堂」，俗稱「新

樓書房」。聚珍堂創設以來，便大量以印製書籍，包括推行白話字的《字母》、《附圖字母》、《廈門音初級教本》、《字彙入門》、《六百字編》等識字課本，另有《三字經》、《論語》等以白話字註解的傳統經典，其他更有《基督教的聖典》、《舊約選錄》、《新舊約聖經》、《讚美新詩》、《養心神詩》、《耶穌受審》、《希律王的來歷》、《真理來臺》、《天路歷程》……等相當多樣的書籍。

事實上巴克禮來臺之前，臺灣的教會早已開始使用羅馬字聖經，但那卻是在一百年前譯自漢文聖經的讀本，尤其語法與當時代已多有不符之處。因此巴克禮從 1916 年便開始於《教會報》連載其所撰寫的白話字版聖經故事，自《新約》的〈馬可福音傳〉、〈路加福音書〉、〈約翰福音書〉、〈使徒行傳〉……等，一直到 1933 年完成《舊約》的〈創世記〉、〈出埃及記〉、〈利未記〉……等。這些依序刊登於《教會報》上的文章，形式上為短篇譯作，卻可謂是一種新式的文學創作。尤其現代文學的發展過程中，翻譯西方文學的工作成為一個重要的途徑，即藉著翻譯逐步確立了在地語言的現代化用法。而譯者或讀者慢慢接觸以現代文體所翻譯的西方文學或論述之後，以白話或口語寫作的能力也愈來愈熟練。可以說，巴克禮的翻譯與寫作，間接促成了臺灣白話文學的發展。尤其「新詩」在現代文學發展中，乃為一重要的文體及文類，因此，談到現代式的臺語新詩，便不能忽略巴克禮的大量引介與翻譯。

首先，由於巴克禮長期擔任《教會報》主筆，大多數署名「編輯室」的文章應是出自巴克禮之手；除了論說、詩作之外，也包括散文、書信等作品。巴克禮尤其注重「詩」，例如《教會報》初期刊載署名編輯室的〈呵咾上帝〉（第 2 期）、〈耶穌屬我〉（第 3 期，轉載）、〈請近救主〉（第

4 期，轉載）、〈謙卑〉（第 11 期，原為汕頭腔，以臺灣腔重譯）、〈新名〉（第 14 期）、〈明宮好地〉（第 15 期）、〈新年 ê 詩〉（第 94 期）等都是詩作。這些早期的宗教詩歌格式，有一行八字的韻律，也有一行七字如「七字仔」或「漢詩」的形式，後來也逐漸影響了本地教徒的詩歌創作形式。《教會報》中也鼓勵大家來評論、分享讀詩的心得，例如 1891年即有一篇〈教會 ê 兄弟所做 ê 詩 kap 歌〉（第 76 期）介紹一位本地教徒（未提及作者名）自己編寫的詩集，並揀選其中一首（共 24 節）的詩作刊出，文末便邀請讀者將詩的讀後感或評論寄到府城，來提供教會報刊登，互相討論。

　　另外，教會中最流通的一部聖詩集《養心神詩》，最早出版於 1852 年，但這部詩集陸續都有重新改編出版，每一部所收的詩作數量都不盡相同；每一首各行的字數有六字、七字或八字。巴克禮認為詩作有助於教徒理解與傳頌教義，於是自己在 1918 年也出版了《添補養心神詩》[3]（Thiam-pó
Ióng-Sim Sîn-Si），共收 20 首作品。從 1894 年的〈補養心神詩〉一文可知，當時臺灣教會最流通的是收錄 59 首的版本（1872 年，福州美華書局），但巴克禮認為詩作仍太少，他又繼續再將「祖家」（tsóo-ke，祖國英國）的一些聖詩翻譯給教徒及讀者參考。刊登譯詩之前，即有如下的說明：

> 《養心神詩》這本是做咱教會 ê 大路用，從中 ê 詩濟濟真好 thang 教示人，予人較快 bat 道理。總是有 1 項 thang 嫌，就是傷少，詩只有 59 首 nā 定，袂得 thang 齊備做教會逐項 ê 路用。拍算天下無 1 个教會親像咱 ê 遮大詩冊到 hiah 欠缺。也遮久攏無加添新 ê，差不多 20 年久猶原是彼本。彼時 ê 中間「雜錄」參「會報」卻有新出幾若首；總是揀選起來只有 10 外首

3——《養心神詩》大概有幾個版本：1854 年《養心神詩新編》（寮仔後：花旗館寓，為1852年版的重印本；13首）、1857 年《養心神詩新編》（58首）、1872 年《養心神詩》（福州美華書局；59首）、1887 年《Ióng Sim Sin Si》（Amoy，69首），1902 年《Ióng Sim Sin Si》（鼓浪嶼Chūi-keng-tông［萃經堂］；98首）、1914 年《Ióng Sim Sin Si》（廈門Chūi-keng-tông代印；151首）、1918 年巴克禮的《添補養心神詩》（臺南：新樓書房；20首）。

會堪得用。遮 ê 詩也攏是阮外國人做 ê。兄弟（按：臺灣教徒）無做，敢無的確是因為個袂會，檢采是對個無拍算，抑是袂曉得 thang 用彼个拄好 ê 道理。阮祖家 ê 詩真濟，也真好，予人吟了攏受感激。若將遐 ê 詩翻譯這爿 ê 話，教會穩當得著利益。所以今揀出彼爿大出名 ê 詩，將彼裡 ê 意義記佇下底；請逐所在 ê 兄弟試看會得 thang 照這个意思來做詩。攏總有 4 節，每節 6 逝，每逝 7 字。題目號做「萬世磐」（按：Bān-sè-puânn），是指救主耶穌。也因為詩做了 thang 做公 ê 路用，請唐山列位 ê 先生來紲贊成這个代誌。[4]

無論是前述的譯詩，或者臺灣本地的詩作，以臺南為中心的現代詩歌閱讀及創作群體逐漸形成。而巴克禮在 1918 年出版的《添補養心神詩》，雖僅收錄 20 首詩，卻可謂臺灣本地出版的第一部現代創作詩集 [5]，且此詩集正是由臺南的「新樓書房」（前身：聚珍堂）所出版。若從這些詩歌對之後的臺語現代詩之影響來看，此由臺南發軔的現代詩歌，在臺灣現代文學發展史上有其重要性。

那麼，流通教會的《養心神詩》的 59 首版本，其中的詩作又是如何面貌？簡單來看第一首〈上帝創造萬物〉：

上帝創造天 kap 地，
生成萬物，逐項會；
功勞極大，又極闊，
一世稱呼永無煞。

4——《臺南府城教會報》第106卷，1894年2月。
5——但若就編輯來說，應該是1900年由甘為霖編輯的《Sèng Si Koa》（聖詩歌）最早，出版地亦在臺灣臺南，共收錄122首聖詩。

日頭發現，光滿天，
日落，月出，照暗暝；
日、月、星辰，都顯明，
上帝主宰大權能。

土地所生 ê 五穀，
花園青翠 ê 樹木，
海內所有 ê 魚鱉。
都是上帝做 ê 物。

天中所飛 ê 鳥隻，
上帝創予食夠額；
以及至細 ê 蟲豸。
無出上帝心以外。

上帝照顧世間人，
不論中國 kap 外邦，
予我逐日 ê 米糧；
兼有厝宅 kap 衣裳。

上帝 ê 恩講袂盡。
差遣耶穌救萬民；
大家著用真實心
共伊感謝，詩來吟。

這樣的格律，與臺灣「七字仔」的一行七字習慣相同，雖詩作中也有承襲西方韻律的一行八字之形式，但以具臺語押韻特色的七字形式，之於臺灣民間較可得到共鳴，也間接帶動了臺灣本地教徒的白話詩歌之創作。例如鄭溪泮、賴仁聲等人除了有小說的創作，更留下許多詩歌作品。而整首詩即是以《聖經》首章〈創世紀〉為基礎加以改寫，並以詩歌形式呈現出的全新臺語詩歌創作，用詞精準且能配合押韻，使富有知識性的詩作吟唱起來更琅琅上口。

身為長期居住臺南的外國人巴克禮，對臺灣話的「變革」相當敏感。尤其近一九二〇年代時，臺灣的知識分子也開始走向文化改革運動，巴克禮當時雖已近高齡，但為了往後的書寫與重譯聖經，其仍不斷地「講究」臺語的使用與應用。例如 1919 年（時 69 歲），其曾以〈講究白話〉之題，於《教會報》中提出「白話」（即口語）相關的問題。

> 近來我 teh 講究恁 ê 白話，khah 要緊是愛查所有發明新名詞。從中有人報我幾若句話，新舊攏有；總是有 ê 意思無夠額明，愛請教列位替我辨明。今將幾若個記佇下底；若有人知 ê 意思，請恁寫來指教：若會紲記中國字下底，是閣 khah 好。[6]

這篇文章連載兩回，巴克禮共提問了 65 個臺語新舊語詞或諺語。尤其臺灣社會已有愈來愈多的「新詞」（本章第四節介紹的林茂生，也在《教會報》發表〈新臺灣話陳列館〉），無論是現代語彙或是成為臺灣話的「日語借詞」，不斷地被使用且慣用，巴克禮仍持續研究這些「變革」中的「臺灣話」，以作為其往後的講道、書寫與翻譯之養分。

6──《臺南教會報》第411卷，1919年6月。

而後，巴克禮又花費多年時間重譯聖經新舊約，這些譯本以及其在《教會報》中刊載的作品，對於教會中的臺語表現帶來極大影響；即其中許多教義式的用語，因詩歌的傳誦或其他文類的記述，再透過後來本地牧師的養成與傳承，漸漸讓臺灣社會多了一種「教會臺語」的詩歌風格。尤其傳道用語中，包含文化的、教育的、現代知識的、哲理的等較現代知識性的用詞，相對於一般庶民的口語，多了一層知性的文雅語感。可以說，巴克禮的「臺語作品」與其「臺譯作品」當中的語彙、用詞等等也傳承給本地牧師，並成為講道時的臺語語法，而後再影響現當代臺語文學的基督教作家（例如戰後的鄭兒玉、王貞文等）中的語文使用風格，使其與臺灣社會中的非基督教圈之臺語文學作品，有較明顯的差異。

　　白話字在教會中被極力推行，也成了傳播知識、文化、新聞的載體。這方面從部分具社會性的山牧師〈論救少年人〉（1888）、梅牧師〈人 ê 性命無久長〉（1909）等較說理式的文章；或如在地與國際新聞的報導，如周步霞〈北港媽 ê 新聞〉（1886）、無署名〈攻破大船〉（1912）等許多文章都可看出。同時，也因受到近代文藝思潮的影響，以白話字書寫的散文也愈來愈多，雖仍有宣教意味，但抒情式的內在描寫風格也愈加明顯。例如巴牧師（即巴克禮）〈巴牧師 ê 批〉（1891）、金姑娘〈金姑娘 ê 批〉（1929）等書信都極具散文風格。

　　巴克禮在 1891 年春天返國述職，途中曾以白話字寫了一封問候與報平安的公開信給臺灣教會，後以〈巴牧師 ê 批〉為題刊出。其中提及他從安平搭船，經過廈門、汕頭、香港，再從香港轉搭大船再過境日本、加拿大；以下則談到船將從香港進入太平洋時的所見：

我 3 月 27 佇香港閣再落船；這隻船比來安平彼號 --ê 幾若倍較大，m̄-kú 猶有船比這隻不止較大。阮外國人搭客差不多 50 人，日本人 50 外人，

唐人 300 外人；行船 ê 人、煮食、排桌 hiah-ê 總共也成百人。船也 gâu 行，一日一暝行差不多 80 鋪路。現時 tú-tú teh 過太平洋；tùi 日本到 A-bí-lí-ka 著行 13 暝日較加，水路 ê 中間也攏無看見山，四面攏是海水。總是袂艱苦，無 sím-mih 風，湧也靜靜；我一路攏無暈船。客廳也夠額夾；若欲看冊、寫批、彈琴、tioh 棋攏 thang；佇船頂也 thang 四界行，也有人拍球。安歇日聚集禮拜攏是我 teh 做，船 -- 裡無別个牧師；逐早起阮幾若人也聚集禮拜。

船 -- 裡 ê 漢人是廣東省 ê 人；我幾若過有去，愛 kap 個講話，揣無一人 bat 咱漳泉 ê 土音。Tùi 中國到 A-bí-lī-ka 個 ê 船租著差不多 80 箍。到位欲入 Ka-ná-thann 國，個也著出 80 箍 ê 徵餉銀予官府，才准個入。現時人 m̄ 准個入花旗國；總是檢采有 ê 愛欲偷入。彼爿 ê 工錢較好趁，有人 kā 我講，到位我若愛予人洗衫，每件著算兩角半銀予個！M̄ 知有影抑無。

雖是書信，也是一篇如遊記的散文，呈現出巴克禮將前往加國時仍掛念著臺灣，也樂意將船上所見與教會弟兄姊妹分享的心情。文中也留下十九世紀末期亞洲與美洲之間船隻往來的見證，巴克禮也藉由如此平靜海面的描寫，顯露出作為宣教者沉著寧靜的心境。

其他刊載於《教會報》的遊記類與敘事性散文也不少，例如吳道源〈東洋紀錄〉（1903）、蘭連氏瑪玉〈霧社 ê 生番〉（1921）、汪宗程〈震災記〉（1935）等，提供當時人們對異地與災難的觀察與觀點，雖是短篇散文，更是表現時代心境、見證歷史的重要史料。而《教會報》於創刊翌年的 1886 年以後，即陸續出現短篇故事，例如〈日本 ê 怪事〉（1886）、〈李仔所夢見 ê 事〉（1890）、〈賣魚 ê 免錢〉、〈塗炭仔〉（1915）……等作品；篇幅雖不長，但其中即有對話、情節，亦可說是短篇小說的雛型。

巴克禮出身英國且作為宗教家，在臺灣政治大變動的關鍵時期，扮演重要角色。1895 年，臺灣成為日本殖民地後，各地陸續發起武力式的抵抗運動，死傷慘烈。而後日軍漸漸往南進攻，就在「南進軍司令部」準備攻入臺南城時，臺南士紳請求巴克禮等教會牧師向乃木希典將軍求和，後巴克禮領日軍進城，而不使城內發生血流的戰事；1897 年，其獲明治天皇授予五等旭日勳章。而在文學方面，巴克禮創辦了聚珍堂出版社、創刊《臺灣府城教會報》，雖是因宣教而使用並推動「白話字」的書寫，卻也促成了臺灣現代文學及文化的發展，尤其是臺語現代文學的建構，於臺灣文學史上應被重新認識與重視。

第二節　鄭溪泮的臺語長篇小說與臺語聖詩

　　因無需顧慮到漢字的選擇或所謂「有音無字」的困境，以白話字書寫的臺語作品數量非常龐大，且除了大量刊載於《教會報》或出版成冊的詩歌或散文，一九二〇年代初期已有中長篇臺語小說的出現。最早出現的中篇小說（約八千字），是於 1925 年發表在北部長老教會公報《芥菜子》（後併入《教會報》）的小說〈Chín-kiù〉（拯救），作者為中央製冰會社社長郭頂順（1905～1979）。而較為人知的則是出身臺中的賴仁聲牧師，其在 1925 年出版的長篇小說《Án-niá ê Bàk-sái》（俺娘的目屎），為目前出土的臺灣現代小說中最早的出版著作。因賴仁聲曾就讀臺南神學院並曾受教於巴克禮，且其於戰後的小說作品更加成熟，且是最多產的白話字小說家，因此第四章將再以一節詳述其作品。而這一節將先介紹臺南永康出身的鄭溪泮牧師及其詩歌與小說作品。

　　從 1885 年至一九二〇年代，白話字書寫在臺灣的歷史雖已超過 35 年，但真正開始有現代較長篇小說的出現，除了《芥菜子》的主編、留學同志

社大學的陳清忠（1895～1960）之提倡，且他自身翻譯不少西方小說而有一些具體影響之外，在基督教社會主義小說家賀川豐彥來臺之後，有了最重要的轉變。

出身日本兵庫縣的賀川豐彥（1888～1960），為日本相當重要的社會運動家，早期便因閱讀安部磯雄、木下尚江等人的著作，而同感於基督教社會主義。其參與農工運動，更曾住進貧民窟為貧窮者傳道，親身體驗貧民之困窘。賀川自神戶長老會神學院畢業之後，也曾至美國普林斯頓大學神學院留學，回到日本之後，便與妻子開始在神戶的貧民窟服務。其於一九二〇年代所寫作的自傳式小說《死線を越えて》（華譯：超越生死線；臺譯：出死線），正是其深入貧民窟所經驗的故事，出版後即非常暢銷。

賀川於 1922 年來臺宣教，也曾與臺灣文化協會成員深談，而其演講的內容與小說的著作，成為刺激臺灣的教會牧師寫作長篇小說的契機。例如賴仁聲在〈Iōng kha-chiah ǹg Siōng-tè〉（用跤跡向上帝）自序中提及創作小說的緣由，乃因小說的感化力極大，包括美國黑奴解放運動受女作家 Harriet Beecher Stowe 的《Lô-châi To-bé》（奴才多瑪）即對他造成很大影響，而來臺演講的賀川豐彥之著作，也刺激了他的寫作。賴仁聲認為漢文、外文都有許多小說作品，而能閱讀白話字的教會兄弟姊妹則無文本可讀，因而他走向創作白話字小說之路。

鄭溪泮（1896～1951）與賴仁聲有深厚交誼，在賴仁聲寫作《Án-niá ê Bák-sái》的同時，他也起筆長篇小說《Chhut Sí-sòaⁿ》（出死線），並於 1926 年出版。生於臺南永康蜈蜞潭（今龍潭里）的鄭溪泮，父親鄭漢川為民間戲劇樂師，母親則聽聞鄰居吟唱聖詩而慕道成為基督徒。1917 年從臺南神學院畢業，1919 年即前往屏東里港教會擔任牧師。為了鼓吹臺灣長老教會自立自治，而不依賴英國教士會，鄭溪泮在屏東創辦「醒世

社」，並發行《高雄基督教報》（後《教會新報》），且擔任白話字版主筆（漢文版主筆為林燕臣；日文版主筆為須田青基）。報刊初期每月發行1000部，後來增至2000部，於當時有不小的影響力。

　　《Chhut Sí-sòaⁿ》這部小說雖可歸類於宗教小說，卻也是一部以女性為書寫主體的家族史長篇小說。「出死線」，即跳脫、超出、超越死亡之線並獲得重生之意；鄭溪泮小說以此為題，即有仿效賀川豐彥《死線を越えて》的寫作之意義。這部小說在1926年時僅出版上卷，而下卷的完成度也已有99%，可惜在戰爭期間被炸毀而無機會出版。上卷全數40回，結局寫至第三兒子鄭泉聲出生後差點病逝，幸有日本牧師前來代禱而得救的過程。

　　《Chhut Sí-sòaⁿ》的空間背景位在整個大臺南地區；或可說是作為一九二○年代的臺南地方書寫的長篇代表作。故事從永康的蜈蜞潭講起，主角為外鳥松（Guā-tsiáu-tshîng）庄的農家少女至勤；至勤的原型即是作者鄭溪泮的母親，雖帶著家族自傳的寫作色彩，但許多情節則為虛構。時為社會動盪不安的清治後期，村庄裡的農作常遭土匪放火搶劫，勇敢的至勤雖與庄民一起與土匪抗衡，但房屋家產皆被大火奪走，生活更陷困境。後來她嫁給大川氏當繼室，不僅對公婆極孝順，對非己生的孩子也用心教養。至勤在家附近聽到一位盲眼基督徒頌兄吟著聖詩，心生好奇而慕道。後來她生產頭一胎時遇難產，大川請來頌兄代禱，於是順利生下長男，並取名為真聲，往後至勤常到教堂禮拜，最終也影響公婆，全家成為基督徒。

　　小說在語言上完全寫實地呈現當時語境，例如至勤生產時「產婆」所闡述的種種習俗、大川的母親對於「媽祖婆」信仰以及其中對於傳統女性的思想之描繪，或者是大川父親對於「落教人」的開放觀點等，讓這部作品有了更積極正向的社會意涵。而不僅在性別意識上有較同時期作家的進

步性之外，內容也述及 1915 年死傷最慘烈的武裝抗日運動——玉井「噍吧哖事件」。

　　對於這場事件，作者並非站在所謂的「反抗」觀點來敘事，而是較站在宗教家憐惜生命的人道立場來看待這場戰役，而其中也含帶著常民思考。例如作者以「土匪」形容自稱大元帥的余清芳，且謂「喏濟百姓受伊 ê 陷害」；而當傳道師知道土匪將至，欲帶著整庄會友去「藏山」時，土匪已前來「放銃，攑火把，喝講，先生佇佗位啊，出來出來！有 ê 講，入來 kā 拖。有 ê 講，和厝放火燒。有 ê 講，毋通啊！燒了，kah 紅毛人算袂得」。小說中的余清芳與其同夥，欲反抗的似非日本政府，他們要殺的竟是人們敬稱為「先生」的傳道師，或者焚燒所謂「人家厝」（jîn-ke-tshù）的一般民家。這樣的「起義」，在當時恐怕不得常民之心。而這也反映出作者反對以迷信方式結眾的立場，且再現了宣教者為保全人民所做的積極行動。甚且，文中更述及「真聲」目睹「萬人堆」（bān-jîn-tui，萬人塚）之景時，無所畏懼地以信仰的態度感謝自己得以逃過劫難，並理性地為眼前眾多的死者禱告，祈願他們的靈魂得救。這樣的文學思想，確實少見於當時新文學運動時期的作品。但將形而上的宗教思想與形而下的現實共同呈現於小說當中，實為「新文學運動」的成果，添補了另一種「現代」的面向。

　　雖然下卷亡佚無法出版，但從現代文學發展的角度來看，《Chhut Sì-sòaⁿ》在臺灣新文學史、臺灣現代小說史上都是重要的長篇小說。其不僅見證了以羅馬字書寫可突破漢字對於表現口語的限制，更是一篇以人道及庶民觀點來記述臺南地區的常民，其跨越清治到日治時期的奮鬥史。全篇雖也保有傳統的「章回小說」形式，但文中常見作者信手拈來所作與情節相符的「聖詩」，其音樂性與自然而通俗的故事鋪陳，也在在顯露濃濃的西方基督教文學特色。

另外，鄭溪泮也創作許多詩歌。從未學過樂理的他，僅在宣教師教導風琴彈法之後，陸續創作出近百首聖詩歌曲，可見其才華天賦。他也曾編印白話字的《樂理課本》，提供不識漢字的會友學習樂理。即便在 1946 年眼盲，鄭溪泮卻毫不喪志，後來更發明簡化點字，且編製盲人用的聖經及聖詩；1950 年他任職水底寮教會牧師，為首位專任盲人牧師。1955 年出版的長老教會《聖詩》中，即收錄其作曲作詞的〈Sèng Kiáⁿ Iâ-so͘ tùi thiⁿ kàng-lîm〉（聖囝耶穌對天降臨，第 91 首），以及其編曲的 3 首詩，譯詞的 29 首詩。

　　〈聖囝耶穌對天降臨〉的詞曲皆為鄭溪泮，全詩文如下：

聖囝耶穌對天降臨，為咱世間有罪的人；
天頂地下開聲來吟，呵咾聖主成做咱人。
哈利路亞呵咾齊聲，天爸差伊獨生聖囝；
為我罪人放棄性命，天爸上帝真正是愛。

耶穌降生睏馬槽內，無嫌地上卑微所在；
天軍天使作樂和諧，好聽到極流傳萬代。
哈利路亞呵咾齊聲，天爸差伊獨生聖囝；
為我罪人放棄性命，天爸上帝真正是愛。

降生彼暝曠野牧者，逐家守更顧伊羊群；
天使降臨報伊知影，去看救主面貌溫純。
哈利路亞呵咾齊聲，天爸差伊獨生聖囝；
為我罪人放棄性命，天爸上帝真正是愛。

救主消息傳到東方，遐有博士舉目看天；
主顯金星奇異真光，個對真遠也來拜祂。

哈利路亞呵咾齊聲，天爸差伊獨生聖囝；

為我罪人放棄性命，天爸上帝真正是愛。

救主降生愛人攏知，祂是真理活命道路；

愛咱直到樂園彼內，不過信靠咱主耶穌。

哈利路亞呵咾齊聲，天爸差伊獨生聖囝；

為我罪人放棄性命，天爸上帝真正是愛。

這首詩歌分為五段，每段八句，一句八字，形式上承襲西方詩歌的形式，與《養心神詩》或《聖詩》中多首格律相同。就內容而言，乃以淺白的文字將上帝之愛、耶穌降生的歷史、福音從西方傳至東方的神跡、信仰的哲理等層次地排列，配合音樂而能節奏簡潔明快地合韻並吟唱出來，足見鄭溪泮的詩歌創作功力。尤其這首歌現今在教會中仍被傳唱，謂白話字小說家鄭溪泮為臺灣詩歌史上重要的詞曲作家，實不為過。

第三節　蔡培火的白話字「世俗化」運動與臺語散文 ───

　　雖然「白話字」的推廣者、讀者、作者，原多侷限於教會圈，但隨著臺灣社會邁向現代化，語文的改革也受到知識分子極大的重視，包括聚焦於「漢文」的新文學運動、臺灣話文運動，也包括羅馬字運動，以及下一節將介紹到的左翼知識青年參與的世界語運動。這些運動並非單一進行，都與臺灣語文及文學的改革都有密切關係。而原使用於教會中的白話字，也在這個過程當中逐漸地「世俗化（secularization）」[7]，許多非基督徒都成為羅馬字的使用者。

7──基督教文學的「世俗化」觀點，首先由施俊州提出。施俊州，《臺語文學導論》，臺南：臺灣文學館，2012年12月。

一九二〇年代除了是臺灣新文學運動的開展期，也是日本內地的羅馬字運動相當熱烈之時，更是留日的基督教知識分子蔡培火在受到日本的羅馬字運動鼓舞後，將教會羅馬字引進文化知識圈極重要的時期。自此，教會羅馬字被推向一連串的「世俗化」運動，包括在臺灣文化協會中設立講習會或研究會，影響了非基督徒文化人的羅馬字之使用，也包括蔡培火於 1924 年以羅馬字寫成的議論性散文集《Chhap-hāng Koán-kiàn》（十項管見），成為臺灣史上第一部夾敘夾議、兼容並蓄的臺語現代散文集。

　　蔡培火（1889～1983），號峰山，生於雲林北港。父親蔡然芳設私塾教漢學，為北港地區的領導人物，於抗日運動中過世。蔡培火就讀公學校期間，即從當時在臺南念書的兄長習得「白話字」。1896 年，母親曾帶全家前往中國福建閃避，後不幸因生意失敗再遷回臺灣。1906 年，蔡培火考進臺灣總督府臺北國語學校師範部，因日本政府積極培養可教授日語的臺灣人教師，使得蔡培火對於臺灣人的教育環境有更深入的思考。其在 1910 年自師範部畢業，被分發去岡山公學校，而後轉任臺南第二公學校擔任教任訓導。

　　1914 年，蔡培火加入日本人板垣退助來臺創辦的「臺灣同化會」。當時，他便向同化會建議採用羅馬字作為普及教育的文字，但遭同化會幹部強烈反對。1915 年，蔡培火受親友與林獻堂資助而前往東京留學，後加入「新民會」並擔任《臺灣青年》的編輯兼發行人。《臺灣青年》的創刊號發刊辭便是由蔡培火執筆，且從雜誌封面標示的臺語羅馬字「The Tâi-oân Chheng-liân」，亦可知其在文字上的主張。另外，蔡培火也在《臺灣青年》中也發表〈我島と我等〉、〈新臺灣の建設と羅馬字〉等重要的政治性及文化性文章。1921 年，臺灣文化協會成立，蔡培火也在《臺灣民報》第

一卷第四號同會第三年度第一回報告書中，刊載了普及羅馬字以及計畫編纂發行羅馬字的圖書。

　　寫於 1924 年並於 1925 年出版的白話字臺語散文集《Cha̍p-hāng Koán-kiàn》（十項管見），是論及一九二〇年代臺灣新文化觀點的重要著作。「十項管見」的主題分別為：〈我所看 ê 臺灣〉、〈新臺灣 kap 羅馬字 ê 關係〉、〈論社會生活 ê 意義〉、〈論漢人特有 ê 性質〉、〈文明 kap 野蠻 ê 分別〉、〈論女子 ê 代誌〉、〈論活命〉、〈論仁愛〉、〈論健康〉以及〈論錢銀 ê 代誌〉。回到一九二〇年代的臺灣社會背景來看這些題目，即能感受作者對於社會及文化改革所滿懷的抱負與志向。而書名的「管見」一詞看似謙卑用語，但書中的觀點就當時而言相當前衛，甚至許多內容於今看來仍是非常進步。從第一項的〈我所看 ê 臺灣〉，作者便直接進入羅馬字與整個社會空間的連結緊密度，他認為「臺灣現今是處佇智識飢荒 ê 時陣啦！」，但官方日語教育無助於一般民眾的生活，而漢字又是難學，因此他積極推廣羅馬字，以快速吸收新時代的資訊與種種現代知識，才不致「毋捌字兼無衛生」。而第二項〈新臺灣 kap 羅馬字 ê 關係〉又再重申這樣的主張：

> 自領臺以後，總督府有新設種種的學校；到今受這款教育，學新學問的人，深淺無論一切算在內，也敢無通上上萬，這是我的推想，拍算敢無傷大精差。本島人攏共有三百六十萬人，kīn-kīn 才差不多二十萬人有學問，kiám 毋是真少 mah？這是啥物原因 neh？一項，是咱家己袂曉看學問重；一項，是設法的人無有十分的誠心。Iáu-koh 一項，就是 beh 學（o̍h）學問的文字言語太艱 kè 非常 oh（難）得學。

這樣的思考與 1923 年發表於《臺灣民報》的〈新臺灣の建設と羅馬字〉一樣，蔡培火相當重視人與公共空間的關係將影響其吸收學問的狀況，希

望臺灣人能以最快速的知識普及手段,來培養文明、改造新的國民性。事實上,一九二○年代的羅馬字使用也曾受到官方與警察單位的重視:

> 關係這層羅馬字的問題,這十外年來不時都 tiâu 佇我 ê 心內。……近來官民的中間,對這層著要緊普及羅馬字的代誌漸漸有 teh 看重。聽見講,警察官的練習所已經有採用羅馬字 teh 學臺灣話。Iáh 小學校 iáh 已經有 teh 教臺灣話,也是漸漸會採用羅馬字。(第二項〈新臺灣 kap 羅馬字 ê 關係〉)

看得出來蔡培火對臺灣的語文情勢抱持著樂觀與期待,甚且在〈新臺灣 kap 羅馬字 ê 關係〉中,猶認為「臺灣 kap 中國 ê 往來的確袂用得隔斷去,漢字是斷斷袂用得放捨」,即臺灣對中國的連結仍需保持緊密,呈現其文化的認同。即便如此,蔡培火於 1927 年在《臺灣民報》發表的〈我在文化運動所定的目標〉,仍持續主張以羅馬字推動臺灣文化的改革:

> 國語(按:日語)漢文那是學校教育的工具,我們今日要向絕大多數無學的男女同胞,宣傳文化,即便可以幫贊我們,做我們的路用,漢文和國語都是沒有資格,我想除非拿臺灣話來當這個衝,以外別無方法啦。……照我看,現時我們臺灣的文化運動,是要進入第二期啦,但是最苦痛的,就是現在所有的文字,不能做最大多數男女同胞的路用,你說我們豈不是有漢字漢文嗎?何不將這個快々教授給眾人,但是,弟兄我給你說,我們雖是拼命要去教他,恐怕多數同胞是沒有工夫……。諸君請勿誤會,我不是說漢文和我們的文化運動絕對沒有干涉,也不是主張日本語絕對和臺灣人的生活沒有關係,……我想除非拿臺灣話來當這個衝,以外別無方法啦。……同胞諸君,有什麼可以解救臺灣話這個欠

点，有什麼會將這個死々的臺灣話，教他活動起來呵？有啦！有啦！那單々二十四個的羅馬字，就可以充分代咱做成這個大工作，在我臺灣現在的文化運動上，老實是勝過二十四萬的天兵呵，請大家，要看重他，要快々頂香接納他纔是。[8]

當時結合政治運作的文化運動者中，多數人仍有強烈的漢文化認同，因此語文改革的實踐較傾向以漢字為主的中國白話文或臺灣話文，或者新一代知識分子已逐漸習慣日文的使用，對於語言的保存與它在文化上的重要性較少積極思考，唯獨蔡培火不斷呼籲大家學習羅馬字，希望讓瀕臨滅絕的臺灣話再「活動起來」，雖然《臺灣民報》也未刊出羅馬字的文章，但其發言與相關討論，也扮演著重要的橋樑角色。蔡培火自一九二〇年代以後，成為臺灣民族及文化運動的重要領導人物，但戰後也曾被認為是站在政府的立場行事的御用士紳，而後亦任職立法委員、行政院政務委員等公職，就其歷史定位而言確實引起一些爭議。但其在日本時代的文化建設之意見與實踐，對臺灣的文化、文學運動仍有極大貢獻。

除了前述論說性的臺語散文集《Chaˈp-hāng Koán-kiàn》，他也另創作〈臺灣自治歌〉、〈白話字歌〉、〈咱臺灣〉、〈臺灣新民報社歌〉、〈霧峰一新會會歌〉、〈美臺團團歌〉、〈一新義塾塾歌〉、〈基督青年會歌〉等多首受當時文化圈及教會圈中相當重視且廣為傳唱的歌曲。其中，最廣為人知的便是 1929 年所寫的〈咱臺灣〉，這首歌其中一段歌詞寫著：

（一）臺灣　臺灣　咱臺灣　海真闊山真懸
　　　大船小船的路關　遠來人客講你婧

8—— 《臺灣民報》第138號，1927年1月2日。

日月潭　阿里山　草木不時青跳跳

白鴒鷥　過水田　水牛跤脊鳥秋叫

太平洋上和平村　海真闊　山真懸

（二）美麗島　是寶庫　金銀大樹滿山湖

挽茶囝仔唱山歌　雙冬稻仔割袂了

果子魚鮮較濟塗　當時明朝鄭國姓

愛救國　建帝都　開墾經營大計謀

上天特別相看顧　美麗島　是寶庫

（三）高砂島　天真清　西近福建省

九州東北爿　山內兄弟猶細漢

燭仔火　換電燈　逐家心肝著和平

石頭抾倚來相楗　東洋瑞士穩當成

雲極白　山極明　高砂島　天真清

　　這首歌的詞曲皆出於蔡培火之手，當時臺灣教育會徵集「臺灣之歌」，其受到刺激後寫出了這首〈咱臺灣〉。1934 年，古倫美亞公司將其發行為唱片，由林氏好演唱錄音，廣受喜愛。歌詞共三段，首先描繪臺灣山水美景，繼而歌頌臺灣物產豐饒，最後點出臺灣地理位置的獨特，以及期待臺灣走向文明之後，人民能夠齊心向前，將臺灣建設成為得以扮演維護東亞和平的重要角色。

　　而為了傳承臺語，蔡培火在一九三〇年代後期，仍持續向政府當局提議以假名式白話字來拼寫臺語以應用於教育，戰後也設計出可拼寫臺語的注音，且編纂《國語閩南語對照常用辭典》等，在語言與文化的推廣不遺餘力。蔡培火將羅馬字的使用者從基督教會擴大到其他領域的知識分子與

社會大眾，系統性的母語書寫文字更被認識。尤其作為臺灣文學史上第一部出版的散文集《Cha̍p-hāng Koán-kiàn》，在一九九〇年代後期開始被研究論述，2000 年出版的《蔡培火全集》也可見其臺語漢字翻譯版，其逐漸成為晚近的臺語文學書寫及運動的範本與經典。

第四節　林茂生的臺語劇作和語文論述

除了蔡培火在非基督圈，尤其以臺灣文化協會為首的文化圈內之羅馬字推行，另一名也是基督徒出身，且在文化界與教育界均占一席之地的林茂生，以臺語羅馬字發表的論述、散文、改編或翻譯的西洋劇作，以及所著作的教育觀點等，也值得記述。

臺南出身的林茂生（1887～1947），父親林燕臣（1859～1944）為光緒年間的秀才，母親郭寬出身舉人之家，家世教養都相當好。林燕臣因受長老教會聘請教授府城醫館（即新樓醫院）的宣教師漢文及臺語，因緣際會受巴克禮洗禮成為教徒，而後成為牧師。前述鄭溪泮創刊的《高雄基督教報》（後《教會新報》）之漢文版主筆，即是林燕臣；而林燕臣也曾於臺南神學院擔任教職。《臺南教會報》（即《臺灣教會公報》）中亦可見林燕臣的短篇故事〈弄巧反拙〉、詩作〈送別會〉、散文〈遊歷漳泉教會〉、〈論嫁娶〉……等白話字作品。

林茂生於 1908 年即赴日留學，自位於京都的同志社中學畢業後，又於 1916 年取得東京帝國大學文學部學士學位，後又赴美留學，在 1929 年取得哥倫比亞大學哲學博士學位，為臺灣首位留美博士。林茂生回臺後，先在長榮中學、臺南師範學校、臺南高等工業學校（今成功大學）、臺南商業專門學校等教育單位服務。戰後，其協助國民政府接收臺灣大學，而後受聘為臺大教授，後以校務委員擔任臺大文學院代理院長；1946 年

創辦《民報》並擔任社長，其於社論中發表不少對陳儀批評的言論，於二二八事件發生不久後便被人帶走，而成為事件中消失的臺灣菁英之一。

因為受難於政治事件，我們對於林茂生在語文、文學方面的諸多貢獻較為陌生。事實上，因為是基督徒，林茂生自小便習得白話字，且以臺語白話字發表非常多的作品。例如 1911 年的《臺南教會報》中，即可見林茂生譯介日本雜誌《日曜世界》中關於臺灣訪察的感人記事〈雪子救人〉；而 1924 年其更於該報（時《臺灣教會報》）發表「戲齣」〈路得改教〉，共連載 4 回（第 476-479 卷），這是一齣以馬丁路得（Martin Luther, 1483-1546）的宗教改革為主題的戲劇。林茂生以白話字發表的文章主題相當多樣，包含京都見聞、時勢和人物感懷、劇本、語文教育、基督教文明史觀等，內容與文字皆深入淺出，文章中可見一位具宗教視野的知識青年對於啟蒙大眾現代意識之熱切。

以現代文學的建構而言，譯介西方作品乃是一個重要的途徑。林茂生於 1924 年以白話字發表的〈路得改教〉，標題註明「戲齣」，即戲劇、劇作之意，可謂是臺灣文學史發展上相當重要的臺譯劇本；而因未註明原著出處，或也可說是林茂生以馬丁路得的宗教改革故事為底本所創作出的臺語劇本。連載時間為 1924 年 11 月至 1925 年 2 月，應是為了在聖誕節時演出所寫的劇作。全劇以 2 齣（即 2 幕）呈現，第一齣主題為「賣赦罪符」（賣贖罪券），共一場戲；第二齣為「Bó-lûn 議會」（Diet of Worms），共三場戲。眾所周知，馬丁路得是西方宗教史上最重要的神學家之一，其於十六世紀推動德意志的宗教改革，而後促成整個歐洲的宗教改革與基督新教的興起。路得對於教會種種制度上的腐敗提出質疑與批評，尤其對於「贖罪券」的意義提出批判。而第二場裡的口白當中，路得意志堅定的申論，表明其改革立場，言辭鏗鏘有力而動人：

路得：我所寫 ê 冊無像一款。中間也有干涉信心 kap 道德問題 ê。論這一款是萬人攏公認，無論對敵抑是朋友攏有贊成 --ê；這斷然 bē 取消 --tit。又 koh 一款是反對法王 ê 政府來寫 ê。論法王 ê 政府所教示人 ê 道理 kap 所行 ê 模樣大半是予基督教會 ê 肉體 kap 心神平平朽爛 --ê。這若無攻擊反對，tú-tú 是 giâ 椅仔予 kué 跤來加添伊 ê 壓制。這也 bē 取消 --tit。第 3 款是因為 beh 反對幫贊羅馬法王政府 ê 壓制 ê 來寫 --ê。從中所講卻有真激烈；m̄-kú 這也 bē 取消 --tit。因為清采人，若有良心 ê，的確愛聽人講起伊過失。所以我所寫 ê 冊攏總 bē 取消得。

（中略）

路得：凡若予我 ê 心肝降服 ê，若 m̄ 是聖經 ê 憑據，便是合你 ê 辯論。我 bē 會倚靠法王抑是宗教會議。因為個所做所講明明有濟濟項 ê 矛盾 kap 差謬。我是予聖經所縛 ê 人。我 ê 良心 kap 上帝 ê 話縛相連。我 bē 取消 --tit，也無想 beh 取消。因為若違逆著良心，就無正直 kap 安全。（停 tiap 仔久）。Án-ni 無法度了！無路 thang 取消 lah！我徛 tī 遮。願上帝幫贊我。À-bīng（按：阿們）。

作為教會中年輕一輩的中流砥柱，林茂生發表此篇劇本，可見其對於宗教改革的立場與思考。但這樣的劇本發表於 1924 年，且特別選擇其中幾段經典的辯證，或許也含著林茂生對於整個臺灣社會的體制之批判意義。林茂生就讀東大時期的 1915 年即擔任東京的臺灣留學生團體「高砂青年會」（即後來的「東京臺灣青年會」），這是臺灣民族運動推動初期重要的胚胎組織。而 1921 年臺灣文化協會成立時，林茂生也擔任評議員。1923 年起，文化協會在臺北、臺南等地舉辦各種講習會；林茂生亦受聘為講師；1924 年 7 月，預定請正林茂生講演西洋史，為期兩週，卻遭臺北市役所（市

政府）駁回而作罷。同年 10 月 20 日起，臺南的「文協」幹部利用基督教青年會名義舉辦講習會，林茂生擔任講師並以臺語多次演講西洋歷史；該年開始也在霧峰林家舉辦的夏季學校講授倫理學與西洋文明史等課題。1927 年，林茂生即完成其哥倫比亞大學博士論文《日本行政體制下臺灣的學校教育》，對於臺灣的教育改革提出諸多實質建言。那麼，對照於同時期的「新文學運動」，1924 年至 1925 年連載的〈路得改教〉，就不只是宗教青年對於教會內部的改革期待之寫作，或可視為其對臺灣社會與整體教育改革的期待和隱喻。

另外，一九二〇年代以來，臺灣話中的「日語借詞」（成為臺語的日語詞彙）越來越多，尤其是新知識用語等抽象名詞，從許多論述文章即可看出。而進入一九三〇年代，日語教育幾乎全面落實於臺灣社會，致使原來的語言環境與內涵有極大變化；無論是抽象用語或生活用語，臺語中的日語借詞更是隨處可見。《臺灣教會報》的讀者也希望報社能介紹當時流通於臺灣社會的「新臺灣話」，因此主筆潘道榮向林茂生請託，以專欄文章介紹日本時代以來產生於臺灣社會的新詞彙。於是，林茂生於 1933 年 12 月至 1935 年 3 月連載〈新臺灣話陳列館〉之專欄共 15 回，除了介紹變成臺語的日語，也在文中註加日語羅馬字、臺語漢字及英文解釋，使讀者了解這些新臺灣話的起源和意義。以下舉幾例詞供讀者參考：

Chù-ì（注意）：注神的意思。對國語 ê chūi 來，就是英語的 careful，take care of，pay attention to。文例：著注意聽先生的話。（= Sensei no yu koto wo chūi shite。= Pay attention to yoř teacher）。著注意持防火車來。（= Kisha ni chūi seyo。Look at for the train）。注意人物（= chūi-jinbutsu = a man in the black list）。民國也有用。源頭出對漢文：看[史記田完世家]孔子晚而喜易，易之為術，幽明遠矣，非通人達材，孰能注意焉。[賈傳]天下安注意相，天下危注意將。

Chù-bûn（注文）：辦貨的意思。對國語的 chūmon 來，就是英語的 to order。文例：若有欠用，請你來注文。（＝Go-chūmon wo negai masu。＝We beg you will favor us with your orders）。民國無用。

Thò-hàp（妥協）：兩爿相讓取和。對國語的 dakyo 來，就是英語的 compromise。這層事，大家妥協了。（＝Kono arasoi wa dakyo de owatta。＝The dispute ended in a compromise）。民國無用。

Thoat-soàⁿ（脫線）：車走離開鐵路。對國語的 dassen 來，就是英語的 detrailment。文例：Hoé-chhia thoat-soàⁿ。（＝Kisha ga dassen shita。＝A train was detrailed）。民國無用。

從這裡也可以看到，如「注意」，雖語源來自中國古籍，且民國亦有使用，但臺語的使用則直接從日語轉進。而如「妥協」，原本民國未使用（即原亦無中文），但它不僅成為臺語，也成為華語通用詞。筆者將〈新臺灣話陳列館〉中介紹的共 133 個新臺灣話詞彙加以整理，並以現行教育部公布之羅馬字標註讀音如下：

ài-tsîng	ài-jîn	ài-kòo	ài-kok	ak-tshiú	àn-nāi	àm-hō	àm-kì	àm-sī	an-tsuân-piān
愛情	愛人	愛顧	愛國	握手	案內	暗號	暗記	暗示	安全瓣

bâi-khún	bān-lîng	bé-siu	bí-siong	huan-hō	huan-tē	huat-kim	hùn-huat	piān-lī	piat-ki
黴菌	萬能	買收	米商	番號	番地	罰金	奮發	便利	別居

puê-siông	puat-tik	puat-tsuī	phok-huat	phok-lat-tân	biān-kióng	piān-hōo	piān-hōo-sū	piān-kái
賠償	拔擢	拔萃	爆發	爆裂彈	勉強	辯護	辯護士	辯解

piān-sū piān-tong piat-tsong bí-buán bí-sut bōng-uán-kiànn boo-tsip mōo-hiám hông-hāi piat-būn-tê
辯士、辦當、別莊、美滿、美術、望遠鏡、募集、冒險、妨害、別問題、

pông-thìng bī-bông-jîn bó-hāu bó-kok bok-tiûnn bûn-hak bûn-hiàn bûn-huà bûn-pông-kū but-siu
傍聽、未亡人、母校、母國、牧場、文學、文獻、文化、文房具、沒收、

bú-tâi hun-kuân hun-īnn pēnn-īnn pōo-hūn tê-uē-huē tē-hā-sik tiâu-tsa tiâu-sû tîn-tsîng
舞臺、分權、分院、病院、部分、茶話會、地下室、調查、弔詞、陳情、

tiâu-liû tiâu-tiān thiok-im-khì tī-an tn̄g-tsik-hû-su pîng-tíng ti-sik kai-kip tī-guā huat-kuân
潮流、弔電、蓄音器、治安、腸窒扶斯、平等、知識階級、治外法權、

tit-tsiap thik-gú tiong-lip tiong-tsí tsù-siā tiong-sim tiong-kun-ài-kok tāi-gī-sū tāi-piáu tsù-ì
直接、敕語、中立、中止、注射、中心、忠君愛國、代議士、代表、注意、

tsù-bûn tuā-to-sòo thó-hiap thuân-kiat thuân-thé thuat-suànn tông-tsîng tông-huà tông-kám tōng-ki
注文、大多數、妥協、團結、團體、脫線、同情、同化、同感、動機、

tōng-guân tōng-but tōng-gī tông-giap-tsiá tông-bîng tông-kip-sing tông-ku-jîn tok-tshòng tok-lip tok-tuān
動員、動物、動議、同業者、同盟、同級生、同居人、獨創、獨立、獨斷、

tok-uá-su tok-sin tōng-sán tōo-liông-hîng tō-lōo lôo-lē îng-giap uân-buán uē-sing put-tik iàu-líng
毒瓦斯、獨身、動產、度量衡、道路、奴隸、營業、圓滿、衛生、不得要領、

uán-tsiok ián-tsàu ián-suat put-tōng-sán hū-ka-suè hùn-khài hūn-tòo tsín-thè put-liông-siàu-liân
遠足、演奏、演說、不動產、附加稅、憤慨、奮鬥、振替、不良少年、

hong-suat hū-tam gán-kho gak-tuī gē-sut guā-kho guā-kau guân-khì guan-su gueh-kip hap-tshiùnn
風說、負擔、眼科、樂隊、藝術、外科、外交、元氣、願書、月給、合唱、

hak-huì hak-tsu-kim hak-kài hak-suat hak-uī hak-sut uá-su
學費、學資金、學界、學說、學位、學術、瓦斯

當時臺灣話中的日語借詞，當然不只作者介紹的這些詞，例如文中未收的「都合」（too-hàp）、「進出」（tsìn-tshut）、「卒業」（tsut-giàp）等諸多日語借詞，至今仍於臺灣社會中被使用。時過境遷，上列的部分用詞現今已較少使用，例如「風說」一詞，林茂生的解釋即「風聲（hong-siann）」之意，於今使用的仍為「風聲」一詞；而「振替」幾乎已經不用，而多用借自華語的「匯款（huē-khuánn）」。且若非林茂生的舉例與說明，恐怕有一半的詞在今日看來，只將之視為中國話，如「動機」、「樂隊」、「學位」等，甚至「不得要領」一詞，作者即特別以羅馬字註明「Bîn-kok bô ēng」，即「（中華）民國」沒有使用。臺語除了原有的「文白」及「訓讀」造成的書面與口語的差異，日語透過國語教育進入臺灣，不但改變了臺灣作家的語文載體，也改變了臺灣語言的內涵。

　　尤其林茂生整理的這些成為「臺灣話」的「新詞」，常見於新文學時期的作品當中。那麼，這些整理，不僅幫助我們重新思考這些詞彙的源由與在地化的發音，或也提供我們重新思考新文學作品中的語文表現，恐怕「臺灣話」的成分遠比我們想像的更多，包括成為臺灣話的「日語借詞」，也包括成為臺灣話的「中國白話文」，甚且它們是作品的文體中，重要的骨幹與血肉，並且也持續被書寫在許多後來的文學作品當中。

第二章

臺語現代文學的發展
——日治時期新文學運動中的臺南作家

一九二〇年代初期的臺灣新文學運動，呼應日本的「言文一致」運動與中國的「中國白話文」之熱潮，以文學創作的實驗與實踐之姿展開了一連串的語文改革運動。與前一章的白話字（羅馬字）的發展脈絡相當不同，所謂臺灣的現代文學作品，無論是一九二〇年代的新文學運動與一九三〇年代的臺灣話文討論，多聚焦於「漢字／文」的表現；一方面希望落實「言文一致」的書寫，一方面也要考慮到文字的使用如何與文化的「祖國」保留共通性。也因形式上過度模仿中國白話文，導致臺灣的白話文呈現「言文不一致」，而引發所謂的一九三〇年代的「臺灣話文論戰／運動」。在這個過程當中，臺南的作家也有重要的參與。尤其就臺語文學的書寫來說，雖然當時舊文學與新文學仍多有重疊，且各有其實踐場域，但即便是舊文學的寫作，其文體的變革也開始走向較口語的方向。

　　本章第一節首先探討新文學運動期間與臺灣話文論爭時期，臺南作家的參與及其作品。包括被以「日語作家」認識的普羅文學家楊逵，其以臺灣話文書寫的小說創作，以及投入民間文學運動的世界語者莊松林的臺語童話寫作。第二節則針對「鄉土文學與臺灣話文論爭」時期的一九三〇年代，於臺南發刊的《三六九小報》當中，最具代表性的作家許丙丁與連雅堂等傳統文人，以淺白口語書寫的話文所發表的文學作品。最後一節介紹因英年早逝而被學界遺忘的學者作家郭明昆，他是出身臺南麻豆的望族，留學早稻田大學、以現代科學研究臺灣話，且在臺灣話文論爭幾乎結束後，仍留下長篇臺灣話文寫作的社會學者。

第一節　新文學運動中的臺南臺語作家

一、臺灣話文論戰

　　眾所周知，一九三〇年代的「鄉土文學與臺灣話文論戰」，原來的討論方向在於「鄉土文學」，但其主要論爭的內容則聚焦於「臺灣話文」的使用與否。這場論戰，留下許多理論性的篇章，也影響同時代諸多新文學作家將主張付諸行動發表創作。即便臺灣話文的寫作與討論遭受不少阻撓而無法有接續性的實踐，但甚至一九八〇年代以降的臺語文學運動，也不斷提起這場論爭並作為臺語文學寫作的理論基礎，呼籲大眾以母語創作更具臺灣道地色彩的文學作品。

　　引發這場論爭的是屏東出身的黃石輝。黃石輝於 1930 年 8 月在《伍人報》發表〈怎樣不提倡鄉土文學〉，開頭便指：

> 你是臺灣人，你頭戴臺灣天，腳踏臺灣地，眼睛所看的是臺灣的狀況，耳孔裡所聽的是臺灣的消息，……所以你那枝如椽的健筆，生花的彩筆，亦應該去寫臺灣文學了。臺灣的文學怎樣寫呢？便是用臺灣話做文、用臺灣話做詩、用臺灣話做小說、用臺灣話做歌曲、描寫臺灣的事物，卻不是什麼奇怪的一件事。……向臺灣文學界擲炸彈倡革命的張我軍，他亦曾反對臺灣的鄉土文學 -- 反對用臺灣話寫文學──他以為臺灣話用途不廣，沒有文學價值，其實這是錯誤的。無論什麼語言都有文學的價值。

這篇引發論爭的文章，至今仍不斷被引用。此文以臺灣話文寫作，而其主張以臺灣話做文、做詩、做小說、做歌曲、描寫臺灣的事物。而後許多報章雜誌，包括《臺灣新聞》、《昭和新報》、《臺灣新民報》、《南音》等皆有熱烈討論。其中，臺北出身的郭秋生也以〈建設「臺灣話文」一提

案〉來呼應臺灣話的文字化。另外，1932 年創刊的《南音》雜誌，即闢「臺灣話文討論欄」，包括賴和、李獻璋等人皆參與用字討論。《南音》也另設「臺灣話文嘗試欄」，收錄臺灣歌謠、謎語、故事等，嘗試以臺灣話文寫作並保存臺灣的民俗文化。

關於這場論爭的過程與當時的文化、社會或政治意義，已多有研究成果，於此不再贅述。但在論爭之外，同時期其實還有不少或許是間接受到影響的臺灣話文實踐作品，值得再被看見與評價。首先，例如出身臺南新化的普羅文學作家楊逵，事實上也留下長篇的臺灣話文小說。

二、楊逵的長篇臺語小說序章

楊逵（1906～1985），本名楊貴，生於臺南大目降（今新化），曾以楊建文、林泗文、公羊、SP、伊東亮、狂人等筆名發表作品。楊逵就讀臺南州立臺南第二中學校（今臺南一中）時，就喜愛讀托爾斯泰、雨果等人的小說，世界文學是他在創作上最初始的啟蒙。1924 年，楊逵未畢業時便前往日本，留日時半工半讀，於日本大學夜間部讀文學藝術科，期間受社會主義運動影響極深，且因工作關係，更體會勞動階級的生活。楊逵在日期間，亦曾參加反田中義一內閣的遊行，且因參與聲援「在日朝鮮人」的運動而受到逮捕。於 1927 年回到臺灣後，便積極參加社會運動與農民運動，更因此多次入獄。

工作經驗與運動參與，對楊逵的創作產生極大影響。1927 年，其已在日本雜誌《号外》發表其工人小說〈自由勞働者の生活斷面〉（臨時工的生活側面），此為其首篇小說創作。1932 年發表的〈新聞配達夫〉（送報伕），則是回憶自己於東京受壓迫的生活，且因知曉故鄉臺灣的資本家亦對農民極度剝削，因此決定回臺從事抗爭。而標註 1931 年所寫的〈收

穫〉（收穫）、1932 年的〈不景気な医学士〉（生意不好的醫學士）、〈毒〉等，皆為短篇的日文創作，楊逵的小說思想，基本上都不脫離其對社會現象的關懷與批判。

作為日本時代最重要的普羅文學作家，楊逵多以「日語作家」被認識。但事實上，其在創作小說初期，卻已有以臺灣話文寫作長篇小說的企圖，儘管他並未參與臺灣話文論戰。1927 年至 1932 年可謂楊逵的創作初期，而這期間，他就寫出〈貧農的變死〉（原記為「貧農的変死」）與〈剁柴囝仔〉（原記為「剁柴团仔」）這兩篇臺語小說，[9] 且這兩篇作品皆標註為長篇小說中的一個章節，其手稿所註時間皆在 1932 年，即其於《臺灣新民報》發表成名作日語小說〈新聞配達夫〉（送報伕）的同一年。

〈貧農的變死〉，是楊逵原已擬撰的長篇小說《立志》之第一章。《立志》共分為六章，標題已訂就，依序為〈貧農的變死〉、〈立志〉、〈苦鬥〉、〈慈善家的假面具〉、〈迷夢〉、〈曙光〉，但僅完成第一章〈貧農的變死〉。另一篇〈剁柴囝仔〉，其手稿最末亦括號註明「這篇是一篇長篇的一節」，整篇小說看來，對話部分占了四分之三，全文亦是以臺灣話文呈現。由此亦可看出，楊逵在創作初期嘗試以臺灣話文寫作時，乃是以長篇小說為寫作目標。

作為《立志》首章的〈貧農的變死〉，故事主角寬意是一位在富豪家中擔任雜役、替富豪向佃農收取田租的年輕人。他目睹「頭家」家裡的奢華多了數十倍，也目睹穿著經縫補又破爛的衣衫的貧農，宛如「人類世界最大淒慘的標本」；且見證「頭家」對佃農的施壓與賄賂警察，請他們設法壓抑農運的力量，更目睹貧農無法承受「追窮」的逼促，而

9—— 這兩篇小說原稿收錄於彭小妍主編，〈貧農的変死〉，《楊逵全集 · 第四卷 · 小説卷1》，臺南：國立文化資產保存研究中心籌備處，1998年12月，頁；彭小妍主編，〈剁柴团仔〉，《楊逵全集 · 第十三卷 · 未定稿》，臺南：國立文化資產保存研究中心籌備處，1998年12月，頁。

選擇走向結束生命的過程。尤其他偷看到頭家向警察行賄的信件與謝禮後，再想到少爺踢死農民的同時，也是頭家強姦雇女之時；且想到他要去強制買收土地之時，也是少爺開車撞死人之時。這些矛盾的片段，讓寬意內心對主人的所作產生懷疑與自我角色的是非之反思，開始出現思想與行動的轉折。他一而再再而三煩惱著受人議論的羞愧感，一方面也無法承受自己作為間接殺人的共犯者；終於，不願「變死」（日語借詞，非自然死亡、橫死之意）之事再發生的他，受到農民組合成員的鼓舞，開始參與臺灣農民組合，立志走向「抗」、「鬥」的階級鬥爭之路。小說最末，楊逵並未交代貧農的真實死因，也或者可能是在之後幾章才寫到，但像這樣的貧農之死，顯然不是真的意外，而是背後強大的直接或間接的壓迫所導致。

　　日本時代的臺灣人口結構，農民即占一半以上，其中又包括佃農、蔗農、蕉農等多種。而許多農民往往身兼佃農與蔗農身分，飽受製糖會社與異民族、資本家的榨取和歧視，是臺灣人中最困苦的一群。〈貧農的變死〉清楚地描繪出普羅階級與小資產階級的生活落差，而其中弱肉強食的社會結構，靠單一的力量並無法改變，甚至不斷惡性循環。另一篇〈剁柴囝仔〉仍是批判著如此階級結構，不過它是採取較單純的視角，以第一人稱的筆法鋪陳，從一年輕人在晴朗天氣、青綠景緻、悠閒心情的時刻開始敘述，因想繼續探索更美好的「仙洞」，在途中巧遇「剁柴囝仔」，經由對談並一起去剁柴之後，才透視了原來「現在的農民真正害到這款呢？」而非他想像的美好。

　　〈貧農的變死〉中，貧農選擇被火車輾過的「自殺」成為「意外」，〈剁柴囝仔〉是不小心從樹上跌落而死的孩子，兩者都是整個資本主義以利益勾結執法者的共犯結構之下，所造成的「變死」悲劇。〈剁柴囝仔〉

結尾中感嘆著：「我看做是天堂的一遍地，深踏入來看，竟是這樣慘酷的地獄……」，與楊逵〈送報伕〉結局所言：「那兒表面上雖然美麗肥滿，但只要插進一針，就會看到惡臭逼人的血膿底迸出」，帶著相同的強烈抗議。只是，〈送報伕〉最後充滿希望和信心要回來改造臺灣，未竟的〈剁柴囡仔〉最後卻像是苦難無盡的呻吟。

雖然這兩篇小說在當時並無發表或未受重視，但從小說的描景與敘事安排來看，楊逵的小說寫作技巧已相當純熟，無論是故事結構、內心情感的描寫等都非常細緻，若能繼續臺灣話文的小說寫作，應能有更不同的文學成就。〈貧農的變死〉後來曾受賴和以較中國白話文式的文修改，再以〈死〉之題連載於《臺灣新民報》（1935 年 4 月 2 日～5 月 2 日），但手稿與刊稿的內容幾乎相同，只是〈貧農的變死〉最後主角開始想要參與農組的鬥爭運動部分，完全不見於〈死〉裡。此或可知當時報刊編輯對於檢閱方面仍相當謹慎與自束。

楊逵並非出身能夠完整接受漢文教育的世代，他的臺灣話文創作，或可視為當時臺灣話文論爭之後的影響，或其從社會運動進入文學運動初時的寫作實踐之軌跡。即便〈貧農的變死〉與〈剁柴囡仔〉當時未能即時發表，卻也成為臺灣話文論爭時期少數的臺語小說之重要篇章，甚且它們都是楊逵計畫寫作的長篇小說之序章。而無論楊逵當時是以日語或臺語寫作，其在小說中對於臺灣勞農大眾的關懷、對資本家結殖民體制對於底層階級的剝削之批判，都一貫地展現其普羅文學的書寫特色與思想。

雖然楊逵日後成為「日語作家」，但他仍有深刻的在地語言思考，例如發表於 1937 年的〈藝術における"臺灣らしいもの"について〉（談藝術之「臺灣味」）文中，即提到臺灣作家以臺灣話文與日文表現的差異：

我們臺灣作家必須深入探究臺灣的語言、習慣、風俗、制度。然而，這與其說是表現形式的問題，倒不如說是寫作的問題和表現方法的問題。所以，如果用臺灣話文表現的話還好，可是要用日文抒發這種芳香或風味，我想可能非常困難。[10]

一九三〇年代不僅是臺灣話文論爭最熱鬧的時代，也是「文藝大眾化」的討論最熱列的時期。文藝大眾化主要訴求是文學的寫實性，並設定閱讀的對象為普羅大眾；而對於一向關懷普羅大眾並積極介入勞動階級的楊逵，其臺灣話文的創作，或許在當時而言也是自然而然的表現。尤其楊逵曾論及「噍吧哖事件」對他影響極深，因此其文學思想雖以普羅階級立場見著，卻也有著深刻的民族情懷，而期待臺灣人亦能以自己的語言從事文學創作。只是，終究是學習日語的世代，漢文的造詣不夠扎實，中國白話文對同世代的作家而言又是一個全新的語文，而後也因〈送報伕〉讓楊逵受到日本文壇注目，且日文已成為連結日本勞農運動與殖民地的反抗運動之重要的共通語文，從此楊逵成為所謂的「日語作家」。但楊逵的臺灣話文小說卻讓我們看見，臺灣話的言說環境仍未被破壞殆盡前，即便語文雖未建構完全，作家在當時的確有能力寫出相當好的現代臺語小說作品。

三、莊松林的新文學與民間童話創作

民間文學家莊松林（1910～1974），曾以筆名朱鋒發表許多文學作品，另有朱烽、峰君、嚴純昆、進二、尚未央、KK、CH、赤嵌樓客、牛八庄、豬八戒、嚴光森、己酉生、圓通子等筆名。莊松林曾參與臺灣文化協會與臺灣民眾黨，以及臺南赤嵌勞動青年會、臺灣勞動者總聯盟等組織，積極

10── 楊逵，〈藝術における"臺灣らしいもの"について〉（談藝術之「臺灣味」），《大阪朝日新聞》（臺灣版），1937年2月21日。

11── 「轉向」，作為一個時代之詞，它是一九三〇年代被司法當局製造出的詞彙，即當局脅迫共產主義者、馬克思主義者必須將自己的思想轉向認為「當局是正確的」。1933年，日本共產黨指導者佐野學與鍋山貞親在獄中被迫寫出〈共同被告同志に告ぐ書〉，聲明受蘇聯影響的共產主義運動乃為錯誤行為，而後，許多共產主義者、馬克思主義者也紛紛成為「轉向者」。所謂「轉向

參社會運動。而其自一九三〇年代中期開始致力於民間文學寫作，一九四〇年代以降乃至戰後則投入民俗、語言等相關研究。民間文學的語言基礎當然是臺語，雖然它也能以其他語文記錄下來。而莊松林投入民間文學的開端，事實上是當時許多左翼運動者也積極學習的世界語（Esperanto），莊松林也曾一度積極推廣世界語。世界語的思想之一，便是各族之間以中立語言世界語溝通，各族群之內應盡力保存其語言，尤其是受到強勢的殖民語言所擠壓的弱勢語言。正因世界語內含著扶持弱勢語言的思想，莊松林的世界語和新文學運動之參與，以及以臺語創作民間文學的實踐有著緊密連結，尤其他以世界語寫作的臺灣民間童話〈La Malsaĝa Tigro〉（戇虎），可謂其民間文學創作的起點，且在戰前跟戰後，莊松林都再以臺灣話文創作並發表〈戇虎〉。

眾所周知，無論是日本內地或殖民地臺灣，一九三〇年代初期是所謂的「轉向」[11]的時代。從一九二〇年代後半到一九三〇年代初期，雖仍殘存一些地方性的抵抗運動，但知識分子接連被檢舉或逮捕，臺灣共產黨、臺灣農民組合、臺灣文化協會等組織幾乎全受殲滅。整個政治、經濟、社會即如當時的文化人葉榮鐘所言「八面碰壁」[12]的狀態。亦即，此時期的知識分子開始選擇新的文化運動，來實踐得以從政治壓抑解放出來的目標。而莊松林在世界語運動的努力，或可謂其「轉向」文化及文學運動時所選擇的場域與實踐。

莊松林在 1930 年 9 月即於臺灣民眾黨的關係組織「赤崁勞働青年會」出版的《反普特刊》發表〈我們的反普運動〉。同年 10 月，其即與林秋梧、盧丙丁、趙啟明等人創刊《赤道報》，但因左翼色彩濃厚而遭禁；11

者」，一般包括：完全放棄原有立場而轉向對立面的人；一步步妥協，並企圖以倫理主義式的自我建構或某種獨特美學來獲得救贖的人；或者成為虛無主義者；或者思想不變，但是從原來的運動中徹底退出的人等等。「轉向」一詞，後來也逐漸成為放棄原有思想，而轉向信仰另一種思想的廣義解釋。參考鹿野政直，《日本近代の思想》，東京：岩波新書，2002年1月，頁174-176。

12—— 奇（葉榮鐘），〈發刊辭〉，《南音》第1號，1932年1月，頁1。

月的第 2 號與其後的第 5 號也被禁賣。社會運動遭受挫折後，莊松林於翌年的 1931 年成為世界語者。而 1931 年的五一勞動節，赤道報社與「赤嵌勞働青年會」及「臺灣勞働者總聯盟臺南支部」共同舉辦演講會，莊松林也以「五一節是國際勞働者一起來 XX 的日子」為題進行演講。自參加「赤崁勞働青年會」以來，這位左翼青年被指拘捕超過 20 次以上，若不盡快就職，恐將被移送火燒島，因此莊松林成為鐵工廠職員，工作期間才開始投入世界語、新文學、民俗學等相關研究。

莊松林與於 1932 年在臺灣世界語學會發行的《Informo de F.E.S》第 2 號中，以署名「S. S.」發表〈エスペラントをかく視る〉（世界語如是觀），該誌由左翼運動家連溫卿 [13] 主編，而莊松林的文章，或可謂其社會運動的左翼思想之延續。作為一名居於臺南的地方青年，莊松林更認真投入具「組織性」的世界語運動，是在來臺參加世界語大會的大本教「エスペラント普及会」理事廣瀨武夫的「全島綠化運動」之影響下，而加入王雨卿創立的「臺南エスペラント会」（臺南世界語會）才正式參與運動。這樣的參與，也影響了其往後在新文學及民間文學的創作實踐。

1934 年 7 月，莊松林刊於「臺南エスペラント会」的機關雜誌《La Verda Insulo》（綠島）第 2 號發表臺灣童話〈La Malsaĝa Tigro〉（戇虎），而後他更積極推廣世界語，包括舉辦「臺南世界語講習會」、「柴門霍甫祭」，或在《臺灣新民報》連載〈大家起來慶祝柴門霍夫誕辰〉等文章。臺灣話文在當時論爭已告一段落，而作為保存在地語言及文化實踐的民間文學運動也正值興盛之時，例如更名自左翼雜誌《先發部隊》的《第一線》，即在第 2 期（更名後的第 1 期）刊出「民間故事特輯」，黃得

13── 左翼運動家連溫卿（1894～1957）為臺灣文化協會重要成員，其在新文學運動正式開展之前，即創刊世界語雜誌，發表諸多相關主張，並曾發表〈將來之臺灣話〉（《臺灣民報》2(20)，1924.10.11，頁14；2(21)，1924.10.21，頁14；3(4)，1925.02.01，頁14-15）一文，建議臺灣話應好好整理詞彙及文法，作為教育與普及之用，其中也以世界語的拼寫方式為例，初步分類臺灣話的詞性。

14── 黃得時，〈卷頭言　民間文學的認識〉，《第一線》2，1935年1月，頁1。

15── 莊松林以進二之筆名於《臺灣新文學》發表兩篇「民間童話」，一篇是〈鹿角還狗舅〉

時在〈卷頭言〉中指出：「希臘神話已成為歐洲藝術最重要的材料之一」、「就是全世界所有的兒童，也常取牠當中的許多故事，以為童話的絕好材料」、「在歐洲對於民間文學的認識，很是徹底」、「我們應知道祖先傳來的遺產之民間文學的搜羅整理和研究，是我們後代人該做的義務之啦！」[14]，這裡即是將「民間文學」與「童話」直接連結。那麼，莊松林這篇副標也以世界語標出「Formosa-fabelo」（臺灣童話）的〈La Malsaĝa Tigro〉，將原以臺灣話傳述的民間故事以世界語書寫，試圖將臺灣童話介紹給國際，極具前衛意義。

〈La Malsaĝa Tigro〉的漢文版〈怣虎〉（即「戇虎」），後來即發表於《臺灣新文學》（雜誌封面亦附有世界語），發表時上方標題亦附「民間童話」字樣。此前，莊松林已於《臺灣新文學》發表另一篇民間童話〈鹿角還狗舅〉。[15]戰後，莊松林將〈怣虎〉再以更貼近臺灣話口語的白話文改寫為〈戇虎〉，與〈鹿角還狗舅〉重新發表於《臺灣風物》，[16]足見其對這兩篇民間童話的重視。〈La Malsaĝa Tigro〉發表後，莊松林就更加深入參與民間文學運動，除了在《臺灣新文學》發表民間故事，也在李獻璋編著的《臺灣民間文學集》中發表赤崁故事〈鴨母王〉、〈林投姊（按：姊）〉、〈賣鹽順仔〉、〈郭公侯〉等四篇。[17]

一九四〇年代以降，其於《民俗臺灣》中發表諸多關於習俗、語言等考察文章，戰後也在《臺南文化》發表許多民俗研究。[18]就莊松林的文學寫作史來看，其將源自臺灣民間故事的〈戇虎〉，以具國際視野的世界語譯寫的〈La Malsaĝa Tigro〉，乃其臺語民間文學創作之起點。

（1936.06，頁68-72），另一篇則是〈怣虎〉（1937.03，頁73-78）。

16——〈鹿角還狗舅〉與〈怣虎〉於戰後同時重新發表。朱鋒，〈鹿角還狗舅〉、〈戇虎〉，《臺灣風物》21(2)，1971年5月，頁55-60。重刊時再修臺灣話文用字為〈戇虎〉。

17—— 李獻璋編著，《台灣民間文學集》，臺北：臺灣文藝協會，1936年6月。

18—— 莊松林於戰後發表的文章多收錄於《文史薈刊 復刊第七輯 莊松林先生台南專輯》，臺南：臺南市文史協會，2005年6月。

許多民間童話成為莊松林的新文學創作之基礎故事，且若非莊松林的寫作，現今社會已不常聽到這些童話，包括〈戇虎〉。〈戇虎〉（Gōng-hóo）的主角是一隻餓虎，下山覓食不得，回程又遇到大雨，於是走入一民家後方的牛舍避雨。當時，牠聽到人們哀嘆著「毋驚雨（m̄-kiann hōo），只驚漏」，卻誤聽為「毋驚虎（m̄-kiann hóo），只驚漏」，而以為「漏」是一種很可怕的動物。剛好牛舍裡也躲著穿「棕蓑（tsang-sui）」的小偷，這隻戇虎慌忙之中被小偷身上的「棕蓑」刺得非常痛，以為那就是可怕的「漏」。回山裡後，虎把此事講給聰明的猿（猴）聽，猿馬上知道那是牠平時想吃、卻苦無勇氣和機會去吃的人類，於是建議和虎一同下山。平日狡滑的猿為取得虎的信任，提議用樹藤綁住雙方，彼此成為生命共同體。怎知下山後又遇小偷，小偷不小心從樹上跌下來壓到虎，虎受到驚嚇而趕緊逃跑，而猿就這樣被拖在後方，最後尾巴斷掉，身體已不知脫落何方。虎終於跑回山上後才停步喘息。世界語版結局是虎咒罵猿為「騙子」；而漢文版最終，虎則為被「漏」吃掉的猿，流下如西北雨般的眼淚。

　　源自民間故事的〈戇虎〉，莊松林以世界語寫就，再以臺灣話文改寫，戰後又重新發表，可謂貫徹其基於左翼、發自民間語言的文學與文化立場之思考。一隻原充滿能量的野生動物，卻因智商不足無能獵物且受人所欺，最後只能悲傷逃離平陽。牠更無法發覺「敵人」的無用，而以為同伴也遭到敵手掠食，這可謂作者對愚民無法反抗的諷喻。尤其莊松林寫作時的寫實筆法已加入現代文學的技巧，例如其中一段描寫貧窮農家居住的環境和遇雨時的窘境，相當細緻：

　　原來散鄉的做田人所蹛的厝，並毋是像有錢的田頭家的大厝彼樣起甲外
　　面堂皇好看，內面周至好蹛，不過佇圍頭圍尾選擇一塊較利便又較廣闊

的所在，隨便用竹管搭一間厝形，閣用塗墼疊做壁，然用稻草嵌佇厝頂，這樣簡單就完成囉。至於好看好蹛這點，佇「日出而作，日入而息」終年須用苦力來拖磨，尚且日常三頓洘糜顧袂得飽的做田人是毋敢過分夢想的，毋過若袂久風曝日沃雨，也就會使得啦。講起雨，也就細陣的才擋牢，若是久長雨，或傾盆大瀉的西北雨，彼就袂講得了了啦。厝頂全部漏洩洩，四處澹漉漉，攏無一塊較乾淨的所在來待跤和囥物。所以若拄著大陣雨，做田兄弟逐家逐戶，都關佇草厝來叫苦怨嘆著。[19]

亦即，莊松林以臺語白話創作的民間文學，已不再是流傳於民間、沒有「作者」的採集篇章，它可謂是新文學運動中，走向臺灣話文寫作的其中一項重要實踐。其從一九三〇年代再陸續發表的諸篇民間文學，雖多少有中國白話文的模仿痕跡，但臺灣話文的語彙與文法仍自然保留，尤其這篇〈戇虎〉於戰前戰後皆有發表，亦可謂莊松林跨越新文學運動時期之後，以民間文學為素材、嘗試以臺灣話文重新寫作的現代文學之延續性的實踐。

第二節　為了「典雅」的臺語和文學

雖然新文學運動持續至一九三〇年代時，已累積不少成果，但臺灣仍是處於傳統與現代之間的社會。尤其在臺南府城，傳統私塾的漢學教育仍然發達，大小廟宇前的說書人繼續傳承著忠孝節義的故事。這些文化空間不僅將臺語的「文言音」加以保留，也適度地以「白話音」等生活口語詼諧地傳遞傳統思想。如此社會環境所造就的語言及文體風格，於臺南地方刊物《三六九小報》當中也能窺現其形貌，報中連載了許多當時以臺語文

19── 朱鋒，〈戇虎〉，頁56。原文已是相當口語的臺灣話文寫作，筆者僅將部分漢字改為教育部用字。

言音被閱讀的傳統「漢文」、較現代口語的「臺灣話文」，或者「半文半白」的傳世之作。

　　《三六九小報》創刊於 1930 年 9 月 9 日，於 1935 年 9 月 6 日停刊，共刊行 479 號；與發刊於北部的《風月》雜誌似有抗衡關係。其停刊前並無預告，有一說是經濟原因，有一說則是因日本人制限漢文所致。趙雲石、趙劍泉父子、連橫、鄭坤五、蕭永東、羅秀惠、王開運、洪鐵濤、許丙丁等南部地區的重要文人，皆常於《三六九小報》發表作品。

　　一九三〇年代的臺灣，卻也是傳統文人第一次對於臺語即將滅亡而感到相當憂心，並且較積極地試圖以考察臺語語源和以傳統的、雅言式的臺語來實踐文學創作的年代。首先，連橫的《雅言》、《臺灣語典》，乃是以文白並行的臺灣話文來解釋臺語源流的重要文本，且是融合臺灣文化、歷史以及對未來抱持期待而寫下的豐富史料；而其形式的表現，也提供吾人對於所謂傳統與現代並存的文學形貌之具體想像憑據。另外，許丙丁的長篇小說「滑稽童話」《小封神》，則是當時代以稍近文言形式的臺灣話文寫作的神怪小說，連載時和出版後都受到極大好評，且許丙丁的臺語詩也曾被譜曲傳唱，於音樂方面亦極具影響力。尤其連橫和許丙丁的重要作品，也都連載於在臺南創刊的《三六九小報》，足具在地代表性。以下介紹這兩位作家在臺灣話文建構方面與臺語文學寫作上的貢獻。

一、連橫的臺語研究與臺灣文學論

　　連橫（1878～1936），生於清末時期的臺灣府臺灣縣（即今臺南市），字天縱、一字雅堂；號武公、慕陶、劍花；是日治時期相當活躍於漢詩社的詩人。連橫 13 歲那年，父親送他《續修臺灣府志》，並告訴他「汝為臺灣人，不可不知臺灣事。」此成了其對臺灣史興趣的啟蒙。他曾負

笈上海，回臺後曾在《臺南新報》、《福建日日新聞》等報社擔任漢文部主筆。1908 年始擔任《臺灣新聞》漢文部主筆，該年即開始執筆撰寫《臺灣通史》，耗時 12 年、全書約六十萬字的《臺灣通史》終於在 1920 年出版。連橫於 1924 年再創刊古典文學雜誌《臺灣詩薈》，亦編纂臺灣叢刊，對於傳統文學貢獻良多。1930 年，《三六九小報》於臺南創刊，連橫即於報中開闢「臺灣考古錄」、「臺灣語講座」、「雅言」等專欄，共發表數百則臺灣文史及語言相關的文章。而後其將文章集結並於 1932 年出版《雅言》，1933 年則再出版《臺灣語典》。雖是臺語觀點的考察與論述書籍，卻也作為其對於當時臺灣話文的討論、臺灣文學的建構的觀點與實踐成果。

《雅言》內容包括臺語探源、人生哲學、野史趣談、歌謠曲藝、詩詞聯對、藝術器物、古蹟之美、臺灣物產、草木蟲魚、風俗民情等，相當多元，亦可見作者的博學多聞。而所謂「雅言」，乃中國早期稱呼所制定「官話」為較優美的語言之詞，連橫以「雅言」為專欄之題，主要想復興的固然是傳統的中國文化，卻也有強烈的重建臺灣話之企圖，謂臺灣話為臺灣人的「雅言」之意。尤其《雅言》中所記對臺語的釋義、用字的研究、語言環境的考察等等，皆可見連橫的語言及文化觀。例如其中的〈漳州、泉州方言〉如此敘述：

> 臺灣方言有沿用漳、泉者，如「恁厝」、「阮兜」、「即搭」、「或位」。若以轉注、假借之例釋之，其義自明。何以言之？「恁，汝等也」，「厝，置也」，引申為居。「阮，我等也」，「兜，圍也」，引申為聚。「即，就也」，「搭，附也」，附則為集。「或，未定也」，「位，猶所也」，雖屬方言而意可通。又如「那是」、「安仍」、「藉會」、「即款」、「忽

喇」、「佳哉」、「敢採」、「嶄然」，凡此八語，有音有義，較諸他處方言為文雅。[20]

臺灣先民諸多從福建、廣東渡海來臺，因此漳州、泉州的方言廣於臺灣社會使用，後也逐漸融合成「臺灣話」。連橫認為漳泉方言較中國他處方言文雅，亦可見其對自身語言所持有的優越感與自信；而其在整理及發表過程中，也為臺語的口語漢字留下了書寫範例，當然，語文書寫隨時代有所更改，其對文字的意見雖與今多有不同，卻也留下當時的考察成果與觀點。連橫研究「文雅」的臺灣話，除了記錄臺語的文字，在其中一則〈臺灣文學之路〉中，即明確告白其整理「雅言」的目的之一乃是為了「臺灣的文學」：

> 文學革命，聞之已久，至今尚無影響。夫革命者在內容不在外觀，則精神而不在形式也。臺灣今日文學之衰落，識者皆知其然，而不知其所以然。其所以然者，則不好讀書之敝也。夫不好讀書，則不知世界之大勢、不稔社會之進化、不明人生之真義；渾渾噩噩，了無生趣，而文學且熄矣。舊者將死、新者未生，吾輩當此青黃不接之時，尤當竭力灌輸，栽培愛護，以孕璀璨之花。臺灣今日之環境，萬事萬物皆不如人；而此縱橫無盡之文學，乃亦不能挺秀爭奇為世人所賞識，寧不可恥！[21]

文學革命，即是指中國白話文運動中的文學改革。一九二〇年代以來，張我軍等人引進中國白話文，欲藉其建設臺灣新文學的一連串語文及文學運動。但當時連橫認為「文學革命」仍影響不大，而其以臺語出發的《雅言》之整理，也是希望孕育未來臺灣文學的璀璨之花。除了內容主題較為多樣的《雅言》之外，連橫另一大貢獻即是《臺灣語典》。這是一部

20—— 連雅堂，《雅言》（另註副標「臺灣掌故三百篇」），臺北：實學社，2022年8月，頁19。
21—— 同上，頁212。

考據相當精確的臺語字詞典，自序開頭即表明因憂心臺語恐將滅亡而投
入研究的決心。

> 連橫曰：余臺灣人也，能操臺灣之語而不能書臺語之字、且不能明臺語
> 之義，余深自愧。夫臺灣之語，傳自漳、泉；而漳、泉之語，傳自中國。
> 其源既遠、其流又長，張皇幽渺、墜緒微茫，豈真南蠻鴃舌之音而不可
> 以調宮商也哉！

從這段話即能清楚看出，《臺灣語典》編輯之際，「臺灣人」的民族認同
與「臺灣話」已產生緊密連結。因此，連橫為使能操臺灣話的臺灣人亦「能
書臺語之字」，而投入《臺灣語典》的編著。臺語的口語文字有所整理，
則有利於臺灣、臺語的現代文學之建構。第二版的自序又謂：

> 余既整理臺語，復懼其日就消滅，悠然以思、惕然以儆、愴然以言。烏
> 乎！余聞之先哲矣，滅人之國，必先去其史；隳人之枋、敗人之綱紀，
> 必先去其史；絕人之材、湮塞人之教，必先去其史。余又聞之舊史氏矣，
> 三苗之猾夏、獯鬻之憑陵、五胡之倡擾、遼金西夏之割據、愛新覺羅氏
> 之盛衰，其祀忽亡，其言自絕；其不絕者，僅存百一於故籍之中，以供
> 後人之考索。烏乎！吾思之、吾重思之，吾能不懼其消滅哉！今之學童，
> 七歲受書；天真未漓，咿唔初誦，而鄉校已禁其臺語矣。今之青年，負
> 笈東土，期求學問；十載勤勞而歸來，已忘其臺語矣。今之搢紳上士乃
> 至里胥小吏，遨游官府，附勢趨權，趾高氣揚，自命時彥；而交際之間，
> 已不屑復語臺語矣。顏推之氏有言：「今時子弟，但能操鮮卑語、彈琵
> 琶以事貴人，無憂富貴」。噫！何其言之婉而戚也！

文中引中國其他地方語言消失作為前車之鑑，並提及臺灣的學童因「鄉校已禁其臺語」，乃可知一九三〇年代的語言教育已全面改變，而能預期臺語不再受到傳承，終將消亡。因此，連橫奮力研究臺語；語言不振，文學與文化皆難興盛。前述《雅言》一書亦開宗明義闡明撰述《臺灣語典》的契機：

> **比年以來，我臺人士輒唱鄉土文學，且有臺灣語改造之議；此余平素之計劃也。**顧言之似易而行之實難，何也？能言者未必能行，能行者又不肯行；此臺灣文學所以日趨萎靡也。**夫欲提唱鄉土文學，必先整理鄉土語言。**而整理之事，千頭萬緒：如何著手、如何搜羅、如何研究、如何決定？非有淹博之學問、精密之心思，副之以堅毅之氣力、與之以優游之歲月，未有不半途而廢者也。余，臺灣人也；既知其難，而不敢以為難。**故自歸里以後，撰述「臺灣語典」，閉戶潛修，孜孜矻矻。為臺灣計、為臺灣前途計，余之責任不得不從事於此。**此書苟成，傳之世上，不特可以保存臺灣語，而於鄉土文學亦不無少補也。[22]（粗體：引用者）

亦即，連橫因見「臺灣文學」的萎靡狀態，以及「鄉土文學」雖受提倡卻窒礙難行，因此下定決心研究臺語，一方面保存這個語言，一方面再補足鄉土文學的建構內涵。總的來說，撰寫《臺灣通史》的連橫憂心臺語將滅、無法建構臺灣的文學，因此致力於整理臺灣話，並撰述《雅言》及《臺灣語典》，以此提升臺灣人對自我的語言與文史之認同。

眾所周知，戰後臺灣文壇當中第一部臺語詩集為向陽於 1985 年出版的《土地的歌》。《土地的歌》後記中，向陽提及曾一度中輟「方言詩」

22── 同上，頁4。

的寫作。但在趙天儀寄予《臺灣語典》後，向陽除了恢復創作方言詩的信心，對於臺語「語源」的考究也更趨嚴謹。而後的思考與實踐，讓向陽的創作走上另一個新階段。另外，一九九〇年代臺語文學運動初期的諸多文章，也時常先引用《雅言》及《臺灣語典》的文句之後，再進行論述。也就是說，即便皇民化運動強化了國語（日語）政策，而戰後的國語（華語）政策也徹底實行，兩次的國語運動接連而來，的確更加速臺灣話的衰落，但連橫在一九三〇年代出版的《雅言》及《臺灣語典》，仍持續作為往後臺語文學發展的理論基礎。

二、許丙丁的滑稽小說與詩歌

許丙丁（1900～1977），臺南市人，字鏡汀，號綠珊盦主人（《小封神》連載署名有「綠珊盦」、「綠珊盦主」），另有綠珊盦莊主、錄善庵主、肉禪庵主人、默禪庵主等筆名。許丙丁幼時曾入臺南大天后宮旁的私塾，後來考入臺北警察官訓練所特別科，當時 3000 名應考生中，僅錄取 2 名臺籍考生。1920 年以臺灣總督府巡查身分擔任臺南州巡查，1934年調任臺南州刑事科巡查部長，1941 年改日本姓名「本山泰若」；戰後亦曾擔任臺南州接收委員會幹事，協助接收警務部。而後又曾任職臺南市北區第一區區民代表、臺南市議員、第七信用合作社理事主席、臺南救濟院董事等職，可說是地方上的重要人物。

許丙丁最早的文學藝術活動，始自 1921 年 6 月於《臺南新報》漢文欄發表漢詩，30 歲前即有詩作百首，1923 年再加入臺南「桐侶吟社」。其漢學底子非常深厚，1930 年 10 月首度於《三六九小報》發表〈新聲律啟蒙（南對北、西對東）〉，1931 年 2 月開始連載其臺語小說《小封神》。許丙丁在日本時代於《臺南新報》漢文欄、《三六九小報》、《臺灣警察

時報》、《臺灣警察協會雜誌》，即發表許多漢詩文作品，且出版過的小說作品包括《實話探偵秘帖》（日文）、《小封神》、《廖添丁再世：楊萬寶》等。多才多藝的許丙丁，除了小說，也寫作許多漢詩、雜文、歌詞，而在南管、戲作、漫畫等方面亦多有造詣。

　　談到許丙丁的臺語文學創作，最經典的當然就是其連載於臺南在地刊物《三六九小報》的「滑稽童話」（Kùt-khe Tông-uē）《小封神》。《小封神》自 1931 年 3 月 26 日的《三六九小報》第 50 號開始刊登，連載至 1932 年 6 月 23 日的第 192 號，共 24 回，全篇以典雅而詼諧的臺語淺白文言與口語構成，文字情境宛如說書之再現，趣味而動人。小說形式近似古典的章回小說，故事中的所有人物也都是臺南地區的大小廟宇中的聖賢神佛，內容則極具現代性。作者結合現實時空來營造一種臺南市區廟宇的大小神明讓人極易親近的人性特質，詼諧趣味中又帶有對民間信仰、政治制度的批判性。許丙丁曾回憶幼時於臺南市聽「講古」的經驗，而這些經驗可說是其創作《小封神》的養分：

> 說書──臺南市俗謂「講古」，是文人老後潦倒無聊，一種餬口的職業，一般人視為卑下賤業。……本市的「講古藝人」，我兒時在天后廟側，就讀於朱定理，石偉雲兩先生，放課後，常聽「講古潭仔」的說書，他當時年過五十歲，鼻頭懸著老花眼鏡，老態龍鍾，在天后宮的照牆前，排著一排排長木凳子，一個小木桌，都簡陋不堪。……當他說《濟公傳》說到「那濟公口中唸唸有詞，喝聲疾」的時，他馬上站起來，表達濟公的情態，將自己所戴的破帽子擲起，繞座跳行；恰巧他的骨格面貌，又和濟公的神態一樣，演得有聲有色，使行人側耳駐足，百聽不厭。[23]

23── 許丙丁，〈臺南市民間說書藝人〉，《臺南文化》6(1)，1958年8月，頁56-57。

這裡除了呈現臺南地區還保有「講古」環境，且許丙丁與許多臺南人一樣自幼喜愛聽講古之外，也說到「講古仙」的講古技術非常精采，並不時模仿故事人物的神態，生動至極。而這樣的氛圍，也常出現於《小封神》當中，例如濟公裡「口中唸唸有詞，喝聲疾」的習慣，即是《小封神》中常有的表現。特別是眾神仙們要相互較量或施展工夫時，唸出的咒語有著千變萬化，例如以下節錄之片段：

> 一位雷部正神敵住四個色中餓鬼；那烏皮將軍把一枝豬牙棒祭起，喝聲變！即時化作數千枝豬牙棒，紛紛如雪花一般，向著雷震子頭上打下。〈四大金剛看五穀王〉
>
> 金魚仙喜出望外，接了混元金斗，吹一口的仙氣，口中念念有辭，喝聲小！即時變做酒盃大，藏在豹皮囊中……〈報司爺見色失醋〉
>
> 齊天大聖見生理衰微，就坐臥不安，抓耳搔腮，一時性起，口中念念有辭，召了十方土地，盤問詳細。〈眾惡猴大戰鹿角仙〉
>
> 鹿角仙見混元金斗被他收去，變羞成怒，把手中鹿角吹口氣，喝聲變！一時千萬枝的鹿角，如雪花一般打來。〈眾神仙重見天日〉
>
> 雷震子見毒煙不得近身，更抖擻精神，將一枝黃金棍祭起空中，喝聲變！真是仙家妙法，即時化成九枝，對著眾龜精頭上壓下來。〈九龜精陣亡山仔頂〉
>
> 雷震子亦舞動寶劍援助，來往數會，禪師經不起雙戰，念動真言，喝聲疾！忽然正北方起一陣黑幕罩下。〈照妖鏡馬扁師現形〉

作家的書寫技法，即宛如再現臺南環境裡的「說書人」。但小說中的背景，已不再是古時場景，而已是進入現代社會的臺南，且包括新時代的政策（如「產兒制限研究會」、「五穀調節案」）、社會現象（如「米價大

落」、「南部自轉車競賽大會」）、新時代空間（如「養老院」、「陸軍練兵場」、「出張所」）、時代產物（如「自轉車」、「飛行機」、「飛行隊」）等。而其中對於「現代社會設備」與「現代思考」，穿插並融入諸多「變術」穿插，看似無法掙脫「迷信」，但文本中刻意營造的「矛盾性」，加強了「笑詼」效果，使得小說更受歡迎。《小封神》刊出之後，尤其連橫便首先於《三六九小報》中的「雅言」專欄中肯定這部小說：

> 比年以來，臺人士亦有作者，惜取材未豐，用筆尚澀，唯臺南《三六九小報》有《小封神》，為臺南許丙丁所作，雖遊戲筆墨，而能將臺南零碎故事，貫串其中，以寓諷刺，亦佳搆也。[24]

連橫雖言《小封神》的筆法「遊戲筆墨」，仍讚其取材豐富、文筆極佳，是罕見的臺人作品。而對於漸漸「日語化」的臺灣社會而言，於一九三〇年代出現的《小封神》，創造出一種「雅言」形式，的確讓許多讀者為之驚豔。正如其作者於戰後的 1951 年將《小封神》重新改寫後的序文所言：

> 《小封神》似乎偏於地方性臺灣方言，俗語自是很多，將鄉土地方民俗，毫無拘束的寫出來，讀者讀來，自自然然地，彷彿領悟，平靜後，或許會在《小封神》裡，發現了自己的縮影，會禁不住，哈哈大笑……狂笑……微笑……苦笑……，於憂傷愁場裏，也或者引入歡天喜地。[25]

作家於戰前使用帶有「講古」者以文雅又幽默的口吻，並以「臺灣話」寫出來的作品，戰後則被稱為「地方性臺灣方言」，顯示此乃語文位階受政治影響使然。但這部以眾神為主角的詼諧神怪小說，對於臺南在地的民間

24—— 連橫，〈臺灣豪作之興替〉，《三六九小報》159，1933年3月3日。

25—— 引自許丙丁〈寫在《小封神》的前頭〉，原刊於《小封神》中文改定自印本書前，1951年10月，臺南綠珊盦；收於呂興昌編校，《許丙丁作品集》（上），臺南：臺南市立文化中心，1996年5月，頁252-253。

信仰、文史記憶、風景地誌皆有深刻描繪的《小封神》，也因使用的是多數讀者熟悉的語言，而得以引起諸多共鳴。

　　戰後初期，許丙丁陸續寫作臺語詩，其中最膾炙人口的即是寫於1945年的〈飄浪之女〉。〈飄浪之女〉在1950～1951年間因文夏（王瑞河，1928～2022）譜曲演唱，並由總部設於臺南的亞洲唱片發行，而成為文夏出道的成名曲，受到極大歡迎。〈飄浪之女〉描寫女性為了愛情的無悔付出，而歌詞相當典雅。

> 沉靜的更深，窗外風飄一陣，
> 想起舊恨暗傷心，真是紅顏薄命，
> 生在亂世佳人，輕的生命，
> 熱的愛情歸在，心所愛的人。
>
> 錯愛的車輪，輾轉誤了青春，
> 像花落沉在苦海，毋是愛情奴隸，
> 心內有你一人，紅的心血，
> 白的純情永遠，送所愛的人。
>
> 團圓的月娘，照阮心內悲傷，
> 年輕拆散苦鴛鴦，為你芳心打碎，
> 為你拋棄家鄉，飄飄何處，
> 青春榮華了結，只有我一身。

除了〈飄浪之女〉，許丙丁非常擅長寫作以女性視角出發的詩歌，例如戰後初期也發表〈南都三景〉、〈可愛的花蕊〉、〈漂亮你一人〉等歌詩。

也非常熱愛京劇的許丙丁，於 1945 年 10 月成立「臺南天南平劇社」，任社長三十餘年；1951 年起任臺南市文獻委員，陸續發表文史考證專論數 10 篇。1965 年 11 月，許丙丁應臺北的音樂家許石邀請，寫出臺語歌詞〈臺灣之夜〉、〈菅芒花〉、〈菅仔埔阿娘仔〉、〈恆春牛尾調〉等；另也為〈思想起〉、〈丟丟咚〉、〈卜卦調〉、〈牛犁歌〉、〈六月茉莉〉等民謠重新填詞。無論是小說或詩歌的創作，許丙丁對於在地語言與文學的傳承與創意，在文化斷裂的時代裡，都顯得更加突出。

第三節　郭明昆的臺語研究與臺語散文

　　一九三〇年代初期的臺灣話文運動，相關論戰在看似在短短幾年就告終。然而，正如前一節所介紹的，無論在臺灣話的相關考察與研究，或者精采的臺語小說作品都陸續發表，尤其臺南作家貢獻良多。而前述連橫的語言考察，方法上較延續中國傳統聲韻或文字學等視角來記述，但另一位出身臺南麻豆的郭明昆，則是融合東西方的韻書與科學方法重新研究臺語，並以臺灣話文的書寫現代論文及散文，延續未竟的討論，也試著實踐未竟的臺灣文學主體目標。

　　郭明昆（1908～1943），曾以筆名郭一舟於《臺灣文藝》發表以流暢的臺灣話文寫作的文章，包括研究論文〈北京話〉（1935 年 5 月）、〈福佬話〉（1935～1936），以及散文〈北京雜話〉（1936 年 7 月）。此外，郭明昆已發表過多篇和語言相關的學術論文，包括刊於《東洋史會紀要》的〈福老話方言における親族称謂とその社会組織との歴史的関連について〉（關於福佬話方言中的親族稱謂與其社會組織的歷史性之關聯，1937 年 1 月）、〈福老話方言における及と與について〉（關於福佬話方言中的「及」和「與」，1940 年 8 月），以及發表於《東洋思想研究》的〈華

語における形体観念〉（華語中的形式概念，1941 年寫就，1949 年刊出之遺稿）……等多篇研究。若以現今的學術專業分類來看他的研究，稱其為社會學者、社會語言學者，實不為過。

日本時代，前往「內地」的留學生當中，郭明昆與恩師林茂生是選擇文科就讀的極少數者。如本卷第二章提及的，林茂生出身基督徒家庭，其求學經歷於當時雖是少數中的少數，但若從日臺長老教會的學校系統連結來看，則亦有其普遍性的意義。然而，作為非教會出身的「一般人」郭明昆，其留學早稻田大學前的所學乃為「商科」而非「文科」，且從事文科相關研究之後，又曾被派往中華民國從事中國的家族社會的調查，然後再將研究視角移回故鄉臺灣。1934 年 6 月至 1936 年 2 月，他又前往中國考察約一年半。這個期間，郭明昆也曾參與鹽分地帶文學的例會，也於東京新宿召開的「臺灣文藝聯盟東京支部座談會」中發表臺灣話文的寫作意見，在 1943 年 11 月的回臺途中遭遇船難逝世之前，其待在日本的時間約 15 年。

郭明昆在任職南二中時期，即取得英語科的教學檢定，因此其能援引當時最新、最標準的文獻資料來從事研究，且在自己的論文中以實例來檢驗並批判了部分的西方研究對中國的誤判。其在中國考察的期間，不僅搜集諸多文獻史料，也透過學者或作家的網絡從事田野調查。調查期間加深對於中國的了解，當然也包括對中國白話文的發展，而這些交流也相當程程度影響了他對臺灣的語文思考與研究。尤其發表於《臺灣文藝》的〈北京話〉、〈福佬話〉，以及〈北京雜話〉等三篇文章，其完稿及刊出時間，皆於滯留北京與重返東京初時。

他在《臺灣文藝》東京座談會上曾有如下發言：

我自己並不反對對島人們以和文（按：日文）書寫文學作品，這是毋庸置疑的。然而在我們的島上卻不見以我們的方言寫作的文學作品，我認為是最遺憾的事。方言文學的價值無需我再重新申論。作為國家的百年大計，我自己也贊成「唐山」（按：中國）廢漢字、日本廢漢字和假名，而改用羅馬字。而在我們的島上，不該沒有以漢字如實地書寫我們的方言、表現文學之方言文學。我由衷希望我們臺灣能立足於「此時此地的需要」來發展以漢字書寫的方言文。「臺文」誌上常刊載模仿民國的人白話文卻模仿得拙劣、寫得「南腔北調」不三不四的白話文，這根本是「鬼話文」，且違反了陳獨秀或胡適提倡的文學革命之根本精神，根本不是文學作品。[26]

雖居於東京，但郭明昆對臺灣文壇並不陌生，且其對一九三〇年代日中兩國的語文改革運動有相當的掌握，且因當時臺人寫的所謂的「白話文」，與所謂的中國白話文事實上有所歧異，而使得其認真地思考臺灣的白話文應有另一階段的改革。於是，1935 年他首度嘗試以「福佬話文」寫作〈北京話〉，作為思考的實踐。在郭明昆所構思的「臺灣文學」裡，除了有日語寫作的文學，至少也應有以「漢字」寫就的方言（福佬話）文學，而非「模仿得拙劣、寫得『南腔北調』不三不四的（中國）白話文」。

例如〈北京話〉文中，郭明昆先解釋完北京話的語音、語調、語詞、語法之後，他在最後一段，即把關注的焦點移回臺灣：

我想咱大家應該着愛惜咱的母語。大家愛惜福佬話、愛育福佬話文、臺灣話文學自然就會誕生發展。我並不是反對島人寫話文、抑是語文。最

26——〈台湾文学当面の諸問題　文聯東京支部座談会〉，《臺灣文藝》3（7-8），1936年8月。

近、我看見「臺灣文藝」裡有載真多的「白話」文、實在真量嘆服執筆諸位。不拘（m ku）、我讀着攏感覺無量的隔摸。看、未順眼、念、未順口、聽、未順耳。老實講、我想做是一種煩雜的。雖然我在東京的時、合（kap）日本人講日本國語、來北京的時、交（若「及」「參」的意思、音轉 kiau）中國人講中國々語。總是、參臺灣人我猶是愛講臺灣話。不限但用本地話講即會得有「本地風光」、人是生出世到死、一生、咱的精神上感情上的「內面」生活、脫不離母語方言的。

（中略）

我、一面、理想「人類一家」的將來、「四海同胞」共通語言、希望「**國語普及**」「**國語統一**」快成功。總是、我一面、又相信**方言文學**有存在的理由。尤其在咱臺灣、振興**方言文學**的必要及價值、是顯然重大的。島內大眾、每日、嘴講是福佬話、耳孔聽也是福佬話、不拘、手無寫**福佬話文**。這是不正經的。理論上、福佬話文學着要創造振興。技術上、**福佬話文**也是寫得出的。雖然、因為、也有有音無字的、也有轉變音的、技術上有重大的困難、總是、咱大家若肯熱心、先從語言音韻的學理、由漢語音變的路程、對這有音無字的、轉變音的、或是擬定或是整理相當的漢字出來、**福佬話文**就會得寫及自在痛快、**福佬話文學**抑是**臺灣話文學**就會得新生發展。[27]（粗體：引用者）

談的雖是「北京話」的觀察，這裡的「官話文」、「國語文」，當然指的是中國白話文、北京話／文。郭明昆並不反對臺人寫中國白話文，但寫得不順，就彷彿「新文言」－新的文言文。而文末所謂的「國語普及」、「國語統一」，指的則是作為臺灣的國語之「日語」，這也呼應了前引郭在座

27── 《臺灣文藝》2（5），1935年5月。

談會發言中所謂的：「我自己並不反對對島人們以和文書寫文學作品，這是毋庸置疑的」，因為郭明昆也沒有理由反對自己以日語書寫的現實。然而，他更冀望的是福佬話文學、臺灣話文學能夠就此逐漸成長。

其另一篇也以臺灣話文撰寫的長篇論文〈福佬話〉[28]，即是其研究臺灣話的重要成果。全文共分六大節：「研究ㄟ必要及價值」、「福佬話ㄟ來歷略說」、「福佬話ㄟ通性特質」、「福佬話ㄟ古語研究」、「轉音及用字ㄟ整理」、「福佬話研究餘說」[29]。作者提出其對福佬話這個語言的觀察，是具備「共時性」與「通時性」的觀點，且其不僅是提供研究心得，甚至要藉此來和現階段社會對福佬話／文的相關問題提出對話：

> 福佬話ㄟ研究、是真要緊。研究着要用科學的方法、董真、確實卽好。總是我此篇小稿、猶不是科學的研究。

但事實上，這篇包含註解幾乎已超過兩萬字的大論，其研究方法上既有對古典的考察，更有以最先進的語言學之科學性的考證。作者接著說：

> 福佬話，確實是方言。總是在咱臺灣、這有兩重ㄟ意思。第一、從文化圈從語言ㄟ系統講、對華北ㄟ「官話」也是方言。這點及對岸相共。第二、從政治圈講、對日本國語也是方言。此點及アイヌ（按：愛奴）話·琉球話無差。

郭明昆極為重視臺灣的「方言文學」之發展，認為有其必要性，但其在前引〈北京話〉中提出的「福佬話」、「福佬話文」、「臺灣話文學」，則

28—— 《臺灣文藝》2（6），1935年6月、2（10），1935年9月、3（4-5），1936年8月。

29—— 此文中的假名「ㄟ」，現代片假名寫作「ㄟ」。此字在文作即是拼寫臺語的「的（ê）」之作用。若無此字，或許當代讀者在讀此文時，則多以中國白話文視之。

也都是作為日本這個政治上的宗主國的「地方」，以及作為中國這個文化祖國的「地方」所出發的思考與期望。而〈福佬話〉中的「的」皆以「工」呈現，而這也內含著郭明昆將「福佬話」置於「日本」這個政治集體的方言位置來看待的思考，於是，其行文中多少可見將民國（中華民國、中國）他者化的痕跡：

> 咱福老話，猶有一層工大特色。就是讀書音（字音）及白話音（話音）增差真多。「言文」工不一致，文白相離，是數千年來工久症，漢字文化工病根。民國工文學革命後工白話文且莫用講，華北現在日常著（按：teh，在）講工活語言裡也「文白」參差。只是，恁工無真像咱工者離經，者屬害。總是，也不比恁工字音攏較舊，話音較新。

「咱福老話」或許和民國的白話文發展不同，卻也是同為中國方言，但相較於作為另一種中國方言的華北方言，「咱福老話」則又置於另一個集體「日本」之中，呈現福佬話內涵在殖民地環境中的複數性。

　　〈福佬話〉文中亦將臺語的「十五音」、「教會白話字」等字辭典編著歸屬於「音韻學研究」的範圍，謂其還不算純正的「語音學研究」，可見郭明昆對西方語言學理論不僅相當清楚，更能實際應用於母語的研究。另外，這篇論文裡也舉出幾個料理的動詞之例，並以漢字及羅馬字標記：

> 福佬話工語詞及語法工特色妙處、猶着更待此後工研究。真像形態觀念真發達、表具體的動作工動名詞、極非常豐富。譬如、表料理方法工動（名）詞有、煮（tsú）、炒（chhá）、煎（chian）、煠（sa̍h）、炊（chhoe）、蒸（chhèng）、焜（kûn）、炕（khòng）、熬（gô）、烹（pheng）、燜（būn）、燖（tīm）、燉（tun）、熇（hok）、煏（piak）、脹（tioⁿ）、焙（pōe）、

熻（hip）、炮（phû）、烘（hang）、煎（chiⁿ）、燙（thǹg）、浮（phû）、鮓（sīⁿ）、醃（am）、風（hong）、滷（滷 ló）、煠（tsoaⁿ）、溫（un）等々々。（用刀工方法、另外猶有真量多欵無算在內咧。）用手用腳工動作、各々攏有將迄舉動工情形勢面、分別及真精微、真詳細。**動作觀念發達及者量精細靈妙、恐猜、世界各處的方言・國語、攏逮未着吶。**（粗體：引用者）

福佬話雖亦可在漢語體系表現，但透過羅馬字的標註，也可謂作者對「音韻學」或「語音學」的相關研究之回應，以及標記臺灣話的一種具意義性的示範。尤其他認為臺灣話的「動作觀念發達」且非常精密細緻，乃世界各地方言、國語所不及的。此可見其由文獻中對世界各地的語言形態亦有涉獵，且對臺灣話抱持著相當的自信。

　　郭明昆這三篇以臺灣話文寫作的文章篇幅極長，有理論有實踐，不僅延續臺灣話文論戰的思考與討論，更是當時少數以科學方法研究北京話、福佬話的文章。他對「臺灣話文學」發展的高度重視，且肯定其所擁有的獨特意義與價值，而他所標舉的臺灣的「方言文學」、「福佬話」、「福佬話文」、「臺灣話文學」等，這些同中似有異、異中似又有同的名稱，事實上包含著他融合東西方的學術訓練，來對於這個語言與從這個語言發展出的文學所做出的定義與定位，以及其作為文化已幾近完全統合的殖民地子民但身處東京學術中心的位置，被迫糾葛於「族群認同」與「國族認同」的夾縫中，所發展出的「地方」意義之思考。

若郭明昆未遇到船難，這個戰前唯一的社會語言學者，以及他的研究與所提出的語文改革建議，或許會因為他更加卓越的表現與地位而發揮更大的影響力。他可能繼續從事臺灣話、臺灣文字的研究，進而有助於建設屬於臺灣人母語的文學。然而，若是「帝國擴張」未因終戰而休止，則其他各國族的語言將可能納入日本，而殖民地人民在其「文化統合」與「民族認同」當中，恐怕又得經歷更繁複的拉鋸戰。即便其學術累積與改革建議，也可能再因戰後的改朝換代而被迫折損，但他所留下的臺灣話研究與書寫示範，仍有其歷史性的貢獻。

第三章

戰後初期醞釀
自臺南的臺語文學

戰後初期的臺灣，因統治政權交替，而在政治面與社會面都受到巨大的變革與挑戰。語言方面，一般在民間普遍使用的臺語，尤其從戒嚴以降，受到的壓制越來越大。雖然從歌仔冊、臺語歌、臺語電影等文學與文化的創作與傳播來看，仍可見其生命力，但一方面經歷日治時期的絕大多數作家，包括文字發表與文學創作，日語幾乎成為他們慣用的書寫語言。因此，即便自一九三〇年代以降有許多作家發表對「臺灣話文」的倡議與文學實踐，卻仍被迫於戰爭期中斷，至戰後也難以再繼續發展。

　　以臺南而言，國民黨於 1946 年 2 月在臺南創刊《中華日報》，創報初期亦曾考慮到民眾的閱讀習慣而設有日文版，並邀請客籍作家龍瑛宗自該年 3 月起任職日文版文藝欄主編。龍瑛宗廣邀臺南在地的文藝青年發表作品，包括吳濁流、葉石濤、吳瀛濤、詹冰、王育德、黃昆彬等年輕作家參與寫作。然而，該年 10 月 25 日，《中華日報》便因應政府政策而廢除日文版面，臺南作家與全島的臺灣作家遭受同樣命運，他們以日文發表的空間受到極大擠壓。而報紙版面當中雖也有零星語言的討論，但「臺語」在此時即進入成為「方言」的時代，要再重新發展文字、建構文學，乃至成為運動，已是相當晚近之事。

　　即便如此，戰後初期到解嚴前後，乃至現當代的臺語文字與文學發展，臺南人都扮演了相當重要的角色。本章將以白話字小說家賴仁聲、白話字詩人鄭兒玉、語言學家王育德為例，介紹戰後初期到一九六〇年代，孕育自臺南且對於戰後臺語文學發展極具影響力的人物與其貢獻。賴仁聲是畢業於臺南神學院的牧師，鄭兒玉為任職臺南神學院的教授牧師，而王育德則是流亡日本成為黑名單的政治運動家。

　　在進入這些作家與研究者的貢獻之前，以下第一節先簡述戰後初期的語文政策，尤其此關乎臺南的臺語及臺語文學之生存「空間」。除了言說

環境的改變，特別是政府對於長老教會以白話字傳播臺語的禁令，致使往後臺語文字及文學的發展產生極大的斷裂。

第一節　戰後初期的語文政策與臺南的長老教會 ———

　　如前所述，戰後的語文政策轉換與二二八事件發生後，對於政治改革的失望與挫敗，讓許多作家因此噤聲、封筆。以臺語「白話字」繼續刊行的《臺灣教會公報》，其使用的文字因未即時受到政府注意，所幸能再維持一些發刊與創作的空間，直到 1969 年才全面改為以中文出版。而除了民間文學方面如歌仔冊等文本的流傳，或者臺語流行歌中的歌詞等較文化方面的傳播之外，以漢字書寫的臺語現代文學創作作品，在戰後初期的確相當罕有。

　　首先，前述由巴克禮所創刊的《臺灣府城教會報》（今《臺灣教會公報》），其長期累積的文字與史料，以及大量的教會相關白話字出版物，對於這段長時期被噤聲的語文斷裂，或可作為一些補足作用。雖然白話字的作品多是與宣教有關的宗教文學，但戰後的臺灣長老教會因在思想上有極大的改革，也使得以宗教思想出發的詩歌作品更加入世而與社會有所連結。這部分稍後談到鄭兒玉作品時將再詳述。

　　眾所周知，二二八事件發生以後，國民黨政府對於言論與報刊的管制更加嚴格。一九五〇年代以降，使用於教會中的臺語羅馬字也開始受到官方的注意。教育部於 1955 年發布的臺 44 社字第 12864 號函中，即明確表示應限制教會中的羅馬字（即「白話字」）之使用，例如在臺南善化鄉的耶穌基督教會即被具體點名：

據報臺南善化鄉耶穌基督教會全以羅馬字拼音傳教，不用漢文，尤其不識漢字兒童反崇尚羅馬字，影響國民教育至大，應加強限制。

甚且，函中言及查禁理由為：（1）妨礙國語推行運動；（2）造成隔閡瓦解團體；（3）國家安全理由。關於（3）的「國家安全理由」則有 2 項理由，包括「可能會被敵人用來當作密碼，威脅國家安全」，以及「臺獨人士有主張將此一種文字視為臺灣民主國文字」。而後，臺灣省政府邀請內政部、外交部、臺灣省政府教育廳、民政廳等有關單位舉行羅馬字問題座談會，會中決議：

1. 羅馬字聖經有礙推行國語政策，按照臺灣省政府 42 年 7 月 6 日肆貳府民四字第二八一九四號令對羅馬字聖經詩歌書本應比照日文聖經處理規定。
2. 由臺灣省國語推行委員會派員協助教會對於聖經加注音符號，以便宣導教義。[30]

往後，臺南縣政府也配合教育部政策，積極對於教會以羅馬字傳教的工作進行取締。尤其臺南的長老教會聚點比例極高，幾乎整個教會圈的傳教工作受到影響，特別是文宣相關的出版受到極大挑戰。賴炳烱牧師即曾於 1968 年 4 月向教育部提出陳情書，但在下半年，郵局便有拒送該報的情形，或者報社已寄出報紙，卻有讀者反應未收到的狀況。

因受到來自官方極大的壓力，《臺灣教會公報》內部不得不重新編整，而將另一份創於 1955 年的中文月刊《瀛光》[31]併入該報。而後的

30—— 編輯室，〈查禁教會羅馬字政府──取締羅馬字書刊之相關背景〉，《新使者》第80期，2004年2月，頁19-20。另，日文聖經處理規定：（1）山地同胞原有家存日文聖經只可充私人參考書，不得對外宣傳；（2）各派出所於登記時應蓋印；（3）由各教會通知教徒登記聖經；（4）預期沒收之日文聖經送省警務處處理；（5）檢扣之日文聖經發還；（6）教會不得代購贈送日文聖經給教友。
31—— 月刊《瀛光》創刊於1955年，以中文、白話字併記，作為《臺灣教會公報》之副刊。劉晉奇，〈《瀛光》編輯回憶錄〉，《臺灣教會公報》第1742期，1985年7月21日，頁14。
32—— 蘇天明，〈挑戰與革新：為教會公報復刊而作〉，《臺灣教會公報》第1051號，1969年12月。

1969 年 12 月，報社社長蘇天明在〈挑戰與革新：為教會公報復刊而作〉[32]一文中，宣告此後以華語／中文宣教的方向，正式與自創刊以來慣用八十多年的白話字／教會羅馬字告別。事實上，1969 年 3 月，政府已禁止郵局寄送該報，且要求以羅馬字出刊的報紙停刊。行政院於 1969 年 11 月 1 日發布的臺 58 教字第 8962 號令核定實施「羅馬拼音文字處理要點」[33]，其中明言「羅馬字聖經，經准暫時使用，以後逐漸淘汰」。於是，第 1049 期與第 1050 期合刊的《臺灣教會公報》，成為最後一次以白話字版本出刊的期號。而原以華語及臺語並刊的《女宣月刊》，也在 1969 年做出停刊的決定。[34]

可以說，在 1969 年 11 月的「羅馬拼音文字處理要點」發布後，這個從戰前持續推行到戰後，且是從臺南出發的臺語文字系統與累積的文學發展，幾乎被全面剷除。要等到一九八〇年代以降，幾位居於海外的臺南人發起運動，它才有了復活與發展的機會。關於這部分，將於下一章再詳述。雖然位於臺南的《臺灣教會公報》面臨語文變革的極大挑戰，但慣用八十餘年的文字、習慣以白話字寫作的作家，的確也累積不少文學作品。下一節主要介紹賴仁聲牧師，於戰後出版的幾部臺語小說作品及其特色。

第二節　賴仁聲延續至戰後的白話字小說寫作

除了《臺灣府城教會報》中所刊載的臺語內容，臺語的文學作品方面，則不得不談到牧師作家賴仁聲。賴仁聲的文學創作與出版，從一九二〇年代一直持續到戰後，其出版了多部以臺語白話字書寫的長篇小說著作。

33—「羅馬拼音文字處理要點」：1.查羅馬字聖經，經准暫時使用，以後逐漸淘汰，自47年施行，今後仍暫准使用，惟須飭由各種教會採取逐漸淘汰之措施。2.教堂集會唱詩用之羅馬字聖詩，暫准就現有印成品，在山地教會集會時用，惟不准重新翻印。3.查羅馬字刊物及單張，內容不易辨識，不獨影響國語推行，且對國家安全亦甚具危害性，應嚴加禁止，不准發行。（教育部曾將本要點於1969年12月11日以臺（58）社字第25593號通函內政部、外交部、司法行政部、國家安全局、臺灣警備總司令部、臺灣省政府及臺灣警務處等八部府處，暨臺灣省教育廳與臺北市教育局分別查照轉之實施。）編輯室，〈查禁教會羅馬字政府——取締羅馬字書刊之相關背景〉，《新使者》第80期，2002年2月，頁15-18。

34—〈那時稱為女宣月刊〉，《女宣雜誌》第380期，2009年3月，頁4。

曾受教於巴克禮、畢業於臺南神學院的賴仁聲（1898～1970），出生於臺中，本名賴鐵羊，仁聲為自取之名，另有筆名裾野逸人。於1916年便開始於《臺灣教會公報》發表作品，1924年為亡妻寫下〈湖邊蘆竹〉一詩，由前述的作家牧師鄭溪泮作曲，至今於教會中仍被傳唱。賴仁聲於1925年即出版小說《Án-niá ê Bàk-sái》（俺娘的目屎）；戰爭時期更於《臺灣教會公報》以「宗教小說」為專欄之題，發表許多短篇小說，包括〈Iōng Kha-jiah Ǹg Siōng-tè〉（用尻脊向上帝，1939～1940）、〈Chí-ū Chit-tiâu-lō〉（只有一條路，1940）、〈Nn̄g-khoán ê Thiàⁿ〉（兩款的疼，1940）、〈I sī góa ê Tiōng-hu〉（伊是我的丈夫，1940）、〈Lióng Kėk-toan ê Kàu-iòk〉（兩極端的教育，1940）等。擔任牧師的賴仁聲認為，漢文與外文都有很多小說作品，但通曉白話字的教友們卻無白話字的小說可讀，因此其投入以白話字創作小說的工作。

　　戰後，賴仁聲的寫作仍不停輟，1954年出版《Chhì-á-lāi ê Pek-hàp-hoe》（刺仔內的百合花），1955年再出版《Thiàⁿ Lí Iâⁿ-kòe Thong-sè-kan》（疼你贏過通世間），接著1960年又出版《Khó-ài ê Sîu-jîn》（可愛的仇人）等小說作品；其他亦有發表於《臺灣教會公報》的短篇作品，如1955年的〈Chit-poe léng-chúi〉（一杯冷水）、1969年的〈I koan-sim tī lí〉（伊關心伶你）等，可說是以白話字創作小說數量最多的作家。這些作品雖屬宗教文學，但在一九八〇年代以降的臺語文學運動時期逐漸被介紹及論述，對日後臺語文學在臺灣文學的討論也產生不少影響，這部分將在第五章及第六章再詳細說明。

　　而雖本章的時序置於戰後，但特別是1960年出版的《Khó-ài ê Sîu-jîn》（可愛的仇人）和1925年出版的《Án-niá ê Bàk-sái》（俺娘的目屎），在戰後先後被以「漢羅」形式改編而讓更多讀者看見之後，提供臺灣新文學的史觀與框架新的思考，因此以下簡介這兩部作品的內涵與影響力。

1925 年出版的《俺娘的目屎》，收錄二篇較長篇的小說〈Án-niá ê Bák-sái〉（俺娘的目屎）與〈Sip-jī-kè ê Kì-hō〉（十字架的記號），為目前出土的臺灣現代長篇小說中最早的一部。二篇小說的空間背景雖設定於中國，但從「Án-niá」等臺灣南部的稱謂（或為保留平埔族對母親的稱謂習慣），以及「浮浪者收容所」等日本時代的特殊空間等詞彙，且以臺語書寫，加上兩地社會仍有類似之處，應讓當時的臺灣讀者倍感親近。二篇小說都各分 18 章，形式稍可見傳統「章回小說」的格局，但行文中常有西方宗教文學裡時而插入「聖詩」的表現，可說混合了東西方文學的特色。

　　〈俺娘的目屎〉的背景是清治末期的中國保定城，主角陳天賜是一個敗家子，家人因受不了其對父親施暴而報案，他從「浮浪者收容所」出獄後也稍有向善，但藤椅生意賺錢後卻又回到原來的跋扈個性，更因失手打死人而再入獄。小說情節曲折複雜，一家在歷經諸多起伏後，最終全家信仰基督教，為非常典型的宗教小說。而文中不少日語借詞的使用，在在顯示臺灣的現實受到日本殖民時代的各種制度所影響。又例如述及主角在南京成為山賊時的境遇時，作者引出聖經詩句，又是順手帶入民間廟宇的「籤詩」，巧妙地以融合東西方的詩文學來再現臺灣在地的社會文化，並且提出勸說意見。

　　〈十字架的記號〉以「十」的記號作為寓義來貫徹整部小說，對於當時代的家庭、婚姻、性別等傳統觀點，有較反省性的描寫。小說空間範圍極廣，橫跨了印度、河南、南京、上海等地，講述一家都是虔誠基督徒的林長老，其子青雲與牧師之女結婚，但不幸於印度山區被「生番」以鏢刺死，友人陳益杉則在其埋葬處的石頭上刻了一個「十」的記號，並將其髮帶回給青雲的父母。後來益杉喜歡上青雲的妹妹惠美，但惠美則因其非基督徒的身分而不敢託付終身，僅在地上畫了「十」的記號回應。而後益杉相當積極地前往教堂禮拜，總算迎娶惠美。然而婚後隨即原形畢露，甚至

害親生孩子病死，也害自己的母親上吊自殺。想不到惠美在其於法庭受審判時仍為他作證，最終以全家都成為虔誠基督徒的喜劇收場。兩部小說都有「審判」過程，以「人間」的審判，譬喻了形而上、天上的審判，此可謂基督教文學的一大特色，且極具現代文學的書寫技巧。

經歷過戰爭期與戰後初期的社會變革，賴仁聲終於又在一九五〇年代重拾小說之筆。1954 年出版長篇小說《Chhì-á-lāi ê Pek-háp-hoe》（刺仔內的百合花）。小說主題是婚姻，談及臺灣傳統婚姻是在缺乏信仰下所建立，因此造成夫婦雙方相互折磨的悲劇。小說中藉著 S. J. 牧師的長篇講道，將聖經中對於愛情、戀愛、性愛、亂倫等以淺白的方式闡述出來，雖是較為說教式的小說，但在民風相當保守的社會裡，呈現出相當進步的思想。

賴仁聲在 1955 年又再出版小說集《Thiàⁿ Lí Iâⁿ-kòe Thong-sè-kan》（疼你贏過通世間）。其中共收錄五篇小說，書題為第五篇的同名小說，首篇是 1937 年的臺譯舊稿〈Éng-oán tī-teh, Jî-chhiáⁿ sī chòe úi-tāi ê〉（永遠佇咧，而且是最偉大的），對年輕人視「戀愛」為恥的保守愛情觀提出強烈批判；第二篇的〈Hiáp-lik Hōng-hiàn〉（協力奉獻），提及 1958 年教會中提倡的「倍加運動」，諷刺諸多宗教信仰者極其表象的虔誠，也對宣教工作提出深刻反省。而第三篇題為〈M̄-sī sío-soat〉（毋是小說），講述 J. S. 牧師與一位教會姊妹的宣教過程，同時也描述淪落花間的弱女子，如何藉信仰而獲得救贖；第四篇〈Kā góa chhut--khì〉（共我出去），敘說對於生命有所迷惘而犯罪入獄的青年，後來找回信仰並獲得重生的故事；第五篇的〈疼你贏過通世間〉，反省了沒有信仰的家庭，將快樂建立在物質與肉慾之上，終造成爭執與痛苦，但透過上帝的道理，婚姻建立於信仰與純潔之上而達成美滿。

賴仁聲最早在非教徒圈傳播的作品，則是在 1960 年出版的《Khó-ài ê Siû-jîn》（可愛的仇人）。這部小說的讀者原多僅限於教會人士，但臺北語文學院於 1971 年曾出版涂東州修改的版本並附上英語解說作為臺語教材，且在 1977 年至 1979 年之間，語言學者鄭良偉將小說以漢羅改寫，並陸續連載於美國發行的《臺灣語文月報》等刊物，因此累積越來越多的非教會讀者，且成為戰後第一篇被大為注目的白話字小說作品。而後，鄭良偉在 1992 年又重新以「高級臺語閱讀訓練教材」之名，出版「臺語羅馬字原作小說」《可愛的仇人》（自立晚報），作為大學課程的臺語教材；同年，鄭良光（鄭良偉弟）在 1991 年創刊於洛杉磯的《臺文通訊》當中，也刊出一篇評論文章〈「可愛 ê 仇人」、女性 ê 命運 kap 其他〉，[35] 重新介紹這部作品的內涵。在一連串的「再現」過程中，臺語的「文學」樣貌與具體性被呈現出來，《Khó-ài ê Siû-jîn》對一九九〇年代以降的臺語文學運動，因而有著示範性的意義。

　　簡言之，《Khó-ài ê Siû-jîn》是白話字文學「世俗化」的一個很重要的開始，它是出自教會的臺語文學作品，而後受到一般社會重視且具影響力的文本。往後逐漸有不少學者或臺語推廣者將更多的宗教文學作品改以「漢羅並用」的文體寫成並加以推廣，而使它們被更多非教徒閱讀，且被納入了臺灣文學的範疇，進而影響了原以漢字為概念框架所型構、詮釋的臺灣新文學運動以降的文學史觀。附帶一提，關於臺南出身的鄭良偉與鄭良光的臺語文學推廣，將於下一章詳述。

35—— 羅日昌，〈「可愛ê仇人」、女性ê命運kap其他〉，《臺文通訊》12，1992年6月，頁2-3。

　　一般認為，戰後最早的臺語詩乃始於一九七〇年代，而最重要的作家為林宗源、向陽。在以漢字作為書寫語文的主流文壇而言，的確這兩位作家是戰後開展臺語詩的重要旗手。然而，當由長老教會發端的宗教文學寫作，也逐漸被納入臺灣文學的討論後，那麼，孕育自深耕臺灣的基督教長老教會所萃煉出的在地詩歌，也應重新被置於臺灣現代詩歌的傳統範疇之內。而從戰後的發展來看這個傳統，臺南神學院的教授牧師鄭兒玉的諸多創作中，即有深刻印記。

　　鄭兒玉（1922 ～ 2014）生於屏東東港，曾就讀臺南長老教會創設的長榮中學，途中赴日就讀京都同志社中學，後又於同志社大學攻讀神學。雖是出身教會，但鄭兒玉是在 1947 年搭乘回臺灣的船上，受楊東傑（1923 ～ 2022，醫師，臺南鹽水出身）啟蒙才習得白話字，並且自 1948 年開始以白話字寫作詩歌。1950 年起，鄭兒玉便發表譯詩〈Chin-kng Chhàn-lān ê Kim-chhiⁿ〉（真光燦爛的金星）、〈Gióng-bōng Siū-lān ê Chú〉（仰望受難的主），後陸續創作〈Sè-kan ê Kng Tōe-chiūⁿ ê Iâm〉（世間的光地上的鹽，1967）、〈Lán beh Chhut-thâu-thiⁿ〉（咱欲出頭天，1969）、〈Kèng-Bó-Si〉（敬母詩，1972）、〈Lán ê Hiong-thó͘〉（咱的鄉土，1973）、〈Liû-lōng Hái-gōa Tâi-oân-lâng ê Sim-siaⁿ〉（流浪海外臺灣人的心聲，1975）、〈Chiúⁿ Uī-suí Kì-liām-koa〉（蔣渭水紀念歌，1978）、〈Iû-chú Hôe-hiong〉（遊子回鄉，1982）、〈Tâi-oân Chhùi-chhiⁿ〉（臺灣翠青，1993）……等多首詩歌，至 2000 年以降仍持續創作。[36]

36—— 請參考鄭兒玉作，吳仁瑟編，《台灣翠青──基督信仰與台灣民主運動詩歌》（共收錄34首），臺北：望春風，2002年9月。

鄭兒玉自 1949 年前往嘉義中會布袋教會布教時，即開始組織性地推廣臺語白話字學習，也發表〈T.K.C. 羅馬字推行部會籌備委員會〉[37]，希望以白話字來加速普及教義的效率。1954 年 3 月 18 日，考試院副院長羅家倫發表〈簡體字之提倡甚為必要〉，此文引起社會大眾關心的同時，也呈現當時「國語」的文字仍處於改革之際。鄭兒玉亦在該年 6 月即發表〈Kán-thé-jī ūn-tōng kap Sèng-keng Tāi-chiòng-hòa〉（簡體字運動 kap 聖經大眾化），呼應文字大眾化的思考：

> 若是果然著 ài 大眾化，所著行 ê 第一階段當然是簡体化。用百姓所 teh 講 ê 白話，用簡体化 ê 文字來表現這思想，這檢采也是民主主義 ê 階段。……十九世紀以來，海外宣導成功 ê 原因 ê 一項，猶原也是將聖經譯做當地百姓 ê 白話，用最簡單 ê 羅馬字來寫 --ê，這个最好 ê 例，就是咱 ê 臺灣。
>
> （《臺灣教會公報》786 期，1954 年 6 月）

除了強調羅馬字的簡易性，也強調它在臺灣使用的悠久歷史，因此鄭兒玉更努力在教會中推廣白話字。1959 年他回到臺南市，開始在臺南神學院任教。一九五〇年代至一九六〇年代，尤其在黃武東所帶領的長老會總會、百年設教大會、倍加運動等，促使教會逐漸在社會實踐上產生較大的轉變。再加上國際局勢與結合信仰關懷中對土地的認同、對政治受難者的疼惜，往後的長老教會從原來僅注重福音宣教工作的態度，轉而為替臺灣人民爭取民主與人權的政治主體意識形態，長老教會在這個過程中的轉變，鄭兒玉正是參與其中的重要人物之一。

37—— 鄭兒玉，〈T.K.C.羅馬字推行部會籌備委員會〉，《臺灣教會公報》731 期，1949 年 11 月。文末鄭兒玉的連絡地址記為「台南縣東石區布袋基督教福音堂」，可知當時的東石在行政劃分上仍屬臺南（原文為白話字，漢羅引文取自「臺灣文學館線上資料平臺」之「臺語文數位典藏資料庫」：https://db.nmtl.gov.tw/site3/dadwt?id=687）。

1961 年，鄭兒玉於臺南神學院學術季刊《神學與教會》發表白話字學術論文〈Kiám-thó Tâi-oân Soan-kàu ê Ki-pún Lōe-iông〉（檢討臺灣宣教的基本內容），對於長老教會的宣教意涵提出深刻反省。進入一九七〇年代，臺灣內部仍處於戒嚴時期，而外交方面也面臨極大考驗，鄭兒玉在 1971 年即擬出臺灣基督長老教會「國是聲明」之第一草稿，1977 年再擬臺灣基督長老教會「人權宣言」第一草稿。1980 年，震驚全國的「林宅血案」發生，鄭兒玉以牧師身分前往慰問，並為此被視為兇宅之處奔走，進而促成今日「義光教會」的創設。1982 年，鄭兒玉便被列入東京出版的《世界基督教人名辭典》。這些事蹟種種，可見其作為神職人員的入世精神，以及其於基督教界中的影響力。

也正是有這樣的背景，鄭兒玉的詩歌從教會的改革與信仰實踐出發，結合臺灣社會對於人權公義的追求，從一九六〇年代到 2000 年以降，包括〈咱欲出頭天〉、〈咱的鄉土〉、〈流浪海外臺灣人的心聲〉、〈蔣渭水紀念歌〉、〈遊子回鄉〉、〈臺灣翠青〉，每一首詩歌都與臺灣的歷史脈動緊緊相連，相當撼動人心。

例如 1969 年的譯作詩〈咱欲出頭天〉，雖是為受刑人而寫，但原詩取自黑人人權領袖金恩牧師（Martin Luther King, 1929-1968）常唱的「We shall Overcome」[38]，鄭兒玉認為歌詞蘊含的信心與勇氣極具意義，於是將之譯為臺語，但也為避免觸動當時政治上的敏感神經，而將它結合待降節的意涵，例如前 3 節：

咱欲出頭天，咱欲出頭天！
有一日欲出頭天！

---

[38]──〈We Shall Overcome〉是美國左翼民謠歌手Pete Seeger（1919-2014）改寫自傳唱於黑人之間的靈歌〈We Will Overcome Someday〉而成。

喔！我心深信攏無慒疑，

有一日欲出頭天。

主欲閣再來，主欲閣再來！

有一日欲閣再來！

喔！我心深信攏無慒疑，

有一日欲閣再來。

咱攏無驚惶，咱攏無驚惶！

今日咱攏無驚惶！

喔！我心深信攏無慒疑，

今日咱攏無驚惶。

原譯詩共 5 節，而這是「出頭天」一詞首次出現公共書寫場域，很快地也在教會間傳開，後來更成為海內外獨立運動的口號。另外，鄭兒玉在 1989 年 5 月 19 日的鄭南榕喪禮遊行時，再為街頭運動加入 2 節歌詞，1999 年又為了臺灣加入聯合國再增寫 2 節。

另一首感動人心的詩歌作品，是發表於 1975 年的〈流浪海外臺灣人的心聲〉。此詩原以「黃弓蕉」之筆名發表，其原曲乃取自 Giuseppe Verdi（1813-1901）首部成名歌劇《Nabucco》中最著名的合唱曲〈Va, Pensiero—流浪者大合唱〉，創作當年即與曾在茱利亞音樂學院修習西洋音樂史的林千千合作，並於紐約大學舉行的美東臺灣同鄉會首演，據說全場有 1300 人參與者，大家幾乎忍不住放聲大哭，因為當時許多人成為黑名單而無法回到故鄉。

（一）臺灣人的哀歌

阮對臺灣出外流浪佇異鄉

一下想著美麗故鄉

目屎就流，無當投，只有哀傷

悲傷心情歹形容

日月潭、府城臺南、阿里山苔

今故鄉失落佇欺負阮的人手中

祖公來臺一代一代做人奴才

阮這代予人欺負閣較慘害

（二）先知的呼聲

臺灣人！臺灣人！啥事猶久靜靜憂愁？

著起來！徛起來！爭取自由！

臺灣人！臺灣人！啥事猶久躊躇驚惶？

結（kait）起來！合（kap）起來！獨立拚命！

毋通閣繼續做二等國民，毋通閣做二等國民！

（三）臺灣人的祈禱

阮的主啊！阮咧喉叫 ná 對深坑，

予阮 liâm-pinn 出頭天，出頭天。

著予阮臺灣人，早日出頭天，

著予阮臺灣人，早日出頭天。

出頭天！出頭天！

這首歌延續譯作〈咱欲出頭天〉的思想與意志，更是一九七〇年代長老教會中由黃彰輝牧師提倡的「本土化神學」（又稱「處境化神學」、「實況化神學」）之後的代表性文學作品。「本土化神學」的理論對於臺灣長老教會的傳教方針產生極大影響，且成為第三世界發展的神學其中一個思潮。[39]而此運動的其中一個背景，則是出自於殖民地的臺灣人長期受到統治者的歧視、差別代遇等壓抑，所產生的「毋甘願（m̄-kam-guān）」之反抗思想，[40]故也稱「毋甘願的神學」[41]。

〈咱欲出頭天〉中除了「出頭天」，更明確寫出「獨立」兩字。其背景亦包含 1972 年 3 月 19 日，黃彰輝、黃武東、宋泉盛等幾位牧師於美國發起臺灣人民自決運動（Formosans for Self-Determination），喚起臺灣人的自覺意識，並聲援長老教會在臺灣所發表的三個信仰聲明，獲得海外臺灣人組織的支持，而黃彰輝正因發起自決運動而成為黑名單（Black list）。由此，亦可見長老教會的信仰內涵，此時已與政治主體意識有了緊密連結。

鄭兒玉較晚近且最受推崇的作品，則是 1993 年發表的〈臺灣翠青〉，由蕭泰然譜曲，收於蕭泰然《1947 序曲》（Overture 1947）交響樂專輯，因廣為傳唱而被許多人譽為民間版的「臺灣國歌」。

太平洋西南海邊
美麗島臺灣翠青
早前受外邦統治
建國今咧出頭天

39── 蔡榮芳，《從宗教到政治 黃彰輝牧師普世神學的實踐》，臺北：玉山社，2020年2月，頁327-329、337-338。謝惠貞，〈台語、文學、基督教──王貞文文學創作歷程佮台文作品中的基督教關懷〉，臺南：成功大學臺灣文系碩士論文，2010年1月，頁230。

40── 蔡榮芳，《從宗教到政治 黃彰輝牧師普世神學的實踐》，頁120-123。杜嘉玲，〈台湾基督長老教会教育実践者：黄彰輝牧師〉，洪子偉、鄧敦民編，《啟蒙與反叛──臺灣哲學的百年浪潮》，臺北：臺灣大學，2019年1月，頁486-488。

41── 黃伯和，〈《台灣人的先覺者──黃彰輝》序〉、張瑞雄著，《台灣人的先覺──黃彰輝》，臺北：望春風，2004年6月，頁25-26。

共和國憲法的基礎

四族群平等相協助

人類文化、世界和平

國民向前、貢獻才能

〈臺灣翠青〉的歌詞意涵相當深遠,其將臺灣島嶼的地理位置及其美麗,以及她經歷受殖的苦難、追求獨立自主的行動,乃至對於新國家的族群平等、國民性格的提升、臺灣人在世界中的角色等,以非常精煉的文字與合韻的形式呈現,再配合蕭泰然所譜的壯闊曲風,使人唱來琅琅上口且能表現國民自信。若以影響力來看,此出自教會傳統的詩歌,並不亞於所謂主流「文壇」中的創作。

　　而從鄭兒玉的白話字推廣工作與其臺語詩歌的創作等方面來看,的確「白話字文學」、「基督教文學」對於臺灣文學的影響,恐怕遠遠超過吾人原所想像。甚且,基督教長老教會在臺灣生根與持續深耕,從《臺灣府城教會報》的創刊,到戰後的臺南神學院培育多位思想家與作家,他們的文字與文學原有各自的傳播方式與對象,隨著教會的改革以及與臺灣民主化進程的思想行動連結,讓源自宗教的文字與文學開始「世俗化」,進而參與了臺灣語言的文字與文學的改革及建構。而最早針對此問題來從事研究並提出實際理論的學者,便是出身臺南、於二二八事件之後流亡日本的王育德。

第四節　王育德的臺語研究與「臺灣文學論」

　　戰後的臺語現代文學發展,尤其是有意識的文學改革運動,主要是來自海外,特別是日本及美國,然後再逐漸帶回島內,並連結成更大的力量所產生的影響。正如前述,戰後的語言政策以華語為主,日語和臺語無法

在公共領域表現與發展，而戰前的臺語文字之改革也遭到斷裂。一九六〇年代中期，許多臺灣人因政治迫害而離開臺灣，或赴美、赴日留學時參與臺灣人運動時而被列入「黑名單」。這些居於海外的臺灣人，於日本、美國展開政治運動的串連。而其中，也有人提出文化與文學運動的路線，進而影響島內的臺語文學運動。

戰後最早在學術圈研究臺灣話、臺灣文學的人，便是自 1949 年流亡至日本並復學東大的臺南子弟王育德。王育德（1924～1985）被譽為臺獨教父、臺灣話研究的權威，但事實上年少時期的王育德，可謂是創作量相當豐富的「文藝青年」[42]。他從一九四〇年代初期就讀臺北高等學校之後，即因兄長王育霖曾參加過學校的辯論部與文藝部，而也跟著加入這兩個社團。進入文藝部後，他不僅參與刊物《翔風》的編務，也於該誌發表短歌、漢詩、小說、評論、戲劇研究等作品。臺北高校畢業後，王育德進入東京帝大就讀，入學不久後，便因戰爭之故而疏開歸臺。戰後初期任職臺南一中時，王育德與黃昆彬等組織「戲曲研究會」，和不少臺南的年輕學生從事戲劇活動；其中，1945 年 10 月於臺南演出的王育德編演之《新生之朝》（Sin-sing tsi Tiau）、與黃昆彬合作的《偷走兵》（Thau-tsáu-ping），為戰後臺語新劇的首度演出。王育德認為，戲劇在戰後初期可謂廣義的臺灣文學，但他也感嘆，「可惜，能夠作為憑據的戲曲幾乎沒能留存下來，而當時我最切身感受的是，記錄臺語的困難」。

另外，王育德當時也受時任《中華日報》日文版主編的龍瑛宗之託，在該報發表〈春の戲れ〉（春戲）與〈老子と墨子〉（老子與墨子）兩篇小說，以及〈文学革命と五四運動〉（文學革命與五四運動）、〈封建文

---

[42]—— 可參考王育德原著、呂美親編譯，《漂泊的民族 王育德選集》，臺南：臺南市政府文化局，2017年1月。

化の打破——台湾青年の進むべき道〉（打破封建文化——臺灣青年的前進之道）、〈孔教再認識〉、〈内省と前進の為に——台湾人の三大欠点〉（為了内省與前進——臺灣人的三大缺點）、〈彷徨へる台湾文学〉、（彷徨的臺灣文學）〈台湾演劇の確立——栄光に輝く茨の道〉（臺灣戲劇的確立—充滿榮光的荊棘之道）等多篇臺灣文學及文化相關評論。而後，其流亡到日本初時、復學東大前的一段期間，也曾跟作家中河与一（1897～1994）學習小說的寫作。

王育德在戰後發表的作品中，尤其〈彷徨へる台湾文学〉（彷徨的臺灣文學）一文最受引用，其中不斷提出「臺灣文學是不是被詛咒了？」、「究竟為什麼在文學創作上無法成就豐碩的果實？」等質疑。王育德認為，臺灣作家從戰前到戰後都得努力學習非母語的語言文字，而好不容易練就的功夫，若非變得無用武之處，便是不敵新世代的作家。那麼，追根究底，作家們在語言上遭受挫敗，讓臺灣文學無法開出美麗的花朵。於是，在流亡日本並重新進入東京大學之後，他便決定研究臺灣話：

> 我決意研究臺灣話的直接動機在於，立志要發明臺灣話的標記法。因為，
> 我透過戲劇活動而了解到，臺灣話沒有適當的標記法的問題。

1959年，王育德便在日本發表〈文学革命の台湾に及ぼせる影響〉（文學革命對臺灣的影響），此文後來收錄於《台湾海峡》，篇名改為〈日本統治下の苦闘——言葉と文学〉（日本統治下的苦鬥——語言與文學）。文中不斷論述的，正是日本時代的臺灣人為了改革臺灣話、建設臺灣話文的歷史，以及這段過程的意義。其中提到一九二〇年代臺灣知識分子引進中國白話文並興起臺灣新文學運動時，他如此強調：

在這種情況下，臺灣人民迫切希望整理自己的文字與文體，培育自己的文化。大陸白話文的普及提供他們良好的準則。<u>那就是**模倣**北京話的例子，把**口說的臺語**發展為書寫的語言，並加入文學、思想</u>，以對抗強加於自己身上的日語和日本文化，保衛民族。（粗體及底線：引用者）

王育德在東大的大學、碩士、博士論文，都是研究臺灣話，為的便是好好整理臺灣話的文字與文體，進而重新建構臺灣文學。且其臺灣話理論並不停留於學術研究，王育德為承襲 1920 年的《臺灣青年》之思想，而於 1960 年創刊同名雜誌，除了延續前人追求自由自主的精神，更進而標舉臺灣民族自決、鼓吹臺灣人獨立建國的理念。他也在雜誌中開設「臺灣話講座」，將其研究成果以淺白而有次序地重新撰寫發表，討論的主題涵蓋臺灣話的系統、音韻體系、教會羅馬字、語彙、書房、文言音與白話音以及訓讀、臺灣話和北京話之間、歌仔冊等，前後共連載 24 回。

尤其最後一回的〈將來的臺灣話〉文中，王育德列出五大主張，包括：「外國語以羅馬字書寫」、「漢字與羅馬字並用」、「改良羅馬字」、「將臺灣話更精煉」、「建立合理的言語政策」。不僅討論臺灣話之文字走向、臺語詞彙如何精煉改造，乃至對國家語言政策提出建議等，可謂是以更長遠而寬廣的視野所提出的對將來的臺灣話之建言，甚且是為了建構屬於臺灣人自己的臺灣文學而提出的建言。而其中「漢字與羅馬字併用」的主張，簡稱「漢羅並用」或「漢羅合用」，即以漢字與羅馬字來混寫臺灣話。

這樣的主張，在一九七〇年代得到初步的實踐與推廣。1975 年 8 月，鄭良偉、李豐明、陳清風等人創辦《臺語通訊》，並於 1977 年更名《臺灣語文月報》對外發行，這是目前看到最早落實「漢羅」書寫的雜誌，更

是戰後第一份以推動臺語文為宗旨的刊物。尤其王育德在 1977 年以學術研究名義前往美加地區考察時進行多場演講，《臺灣語文月報》也曾刊出王育德的演講內容。由於當時的臺灣內部仍多有言論箝制，《臺灣青年》與《臺灣語文月報》的主張猶未在島內造成影響，但在海外的臺灣文化及母語推廣上已造成熱烈迴響，一九八〇年代則間接與島內的臺語文運動開始產生連結。往後諸多以漢羅書寫印刷的雜誌發行，將島內與海外的臺語文學運動更加緊密結合。關於這部分，在之後兩章也將再詳述。

王育德認為，臺灣話無法成就文學的另一個主因是，連臺灣人自身都認為臺灣話是「粗俗」的語言，當然它就無法成為文學的載體。因此，他向文學家與劇作家提出呼籲：

> 部分臺灣人對臺灣話沒有什麼感情，他們提出的理由是臺灣話很粗俗。臺灣話通俗的詞彙確實是怎麼恭維也說不上優雅。正因如此，臺灣人必須努力使臺灣話達到精鍊的境界。歷史告訴我們，馬丁路德以德語翻譯《聖經》，薄伽丘用意大利文寫成的《十日談》，莎士比亞以英文寫成的戲劇是如何地使他們的民族對本國語言、進而對自己的民族產生熱愛。臺灣話如果有優秀的文學家和戲劇家不斷發表作品，也會漸趨精鍊。

若有更多以臺灣話寫就的文學作品，則臺灣話就能更加精練地提升至文學層次，如此可使臺灣人因這些作品而產生對自我民族的熱愛，也會對臺灣話投注更多情感，不但不會認為它是粗俗的，反倒對它更有自信。

竭盡力氣研究臺語、推廣以臺語寫作臺灣文學的王育德，其自身留下的臺語作品事實上並不多。主要是其身處日本，一方面先向日本臺僑推廣理念，一方面也期望更多日本人支持臺灣，因此主要使用的語文仍為日語。其以臺語發表的作品，目前僅可見兩篇，一篇是臺語散文〈Guá wu khì Tapanǐ〉（我有去噍吧哖），以 Ŏng Jȯk tik 署名發表於《臺灣青年》；而另一篇則是臺語詩〈現時臺灣政治歌〉，約莫作於一九七〇年代初期，以臺語漢字及教會羅馬字對照的形式，印在臺灣獨立聯盟的宣傳單上。而從當時發表的臺語散文〈我有去噍吧哖〉，也可看見其漢字的使用亦是參考諸多文獻與考證所來，例如其中一段：

前擺的相戰中，我為著覓尋疏開去南庄的我的愛人，路有經過噍吧哖。

彼時陣交通機關真無利便，干但通靠家治兩枝腳行。透早坐火車，對臺南去新市仔，佇新市仔落車，來就用行的啦。入去大目降（作孽的叫做大粒幹），過那拔林，到左鎮，日就覓晝啦。

暴憑罕得行遠路，日呢曝，雨呢淋，雖然講是為著愛人，實在亦是真歹命，沿路行沿路念，為膣死，為膣走千里（這句俗語應該是，為錢死，為錢走千里）。

彼時的形狀，頭殼是戴箬笠那像草地人，兩枝白鴿鷥腳是縛キャハン，肩甲頭一平背包袱，一平背水罐。對此滿來給想，亦那好笑，亦那可憐。

到左鎮的路，算起來猶平坦好行，對左鎮覓空入去南庄的路就歹啦，起起落落彎彎空空，中間有幾仔个足崎的崎。上崎的叫做揀死猴崎，覓擘這个著愛佇中站歇困一兩擺。這搭的牛車攏是兩隻著拖，亦有特別的車擋。聽見講，噍吧哖事件的當時，這搭的人攏附日本仔剿了了。[43]

許多漢字明顯與現今的常用臺語漢字不同，例如：「覓尋→欲揣（beh tshuē）」、「干但→干焦（kan-na）」、「平→爿（pîng）」、「此滿→這馬（tsit-má）」、「空→斡（uat）」、「擘→蹈（peh）」、「困→睏

43—— 原刊出時，題目僅有羅馬字。「キャハン」：漢字為「脚絆」，即綁腿。

（khùn）」、「附→予（hōo）」等字，但某種程度而言它們或許是當時的「常用」漢字，這樣的用字差異在文字改革過程中乃常見的現象。另外，「暴憑（pōo-pîn，今寫作「步頻」）」一詞為「平常」之意，是現今幾乎已少用但卻非常文雅的詞彙。

比起現今的臺語口語，這篇散文讀起來較為精簡而無太多累贅的語助詞或語尾詞，此可謂前述作者強調的「精鍊」之落實。又如「作孽的叫做大粒幹」、「為膣死，為膣走千里」等句，作者毫無忌憚地將所謂的「粗俗」或通俗詞彙寫進文中，能理解諧音之義的讀者，想必閱讀時會會心一笑。這種以俚語俗語表現幽默的作品，在西方文學中並不罕見，也是引發讀者共鳴的關鍵之一。尤其王育德也曾在〈臺灣語講座〉（第8講）提到「關於詞彙的精煉」，他也承認「民眾生活中的口頭很粗俗」，因此建議在書寫或公開（如廣播）用語時，可選擇較文雅的用詞。那麼，此文也可謂是其對文學家或劇作家呼籲以臺灣話寫作的自我示範。

當然，島內仍有默默研究臺語的學者，例如亦是臺南出身的吳守禮（1909～2005），臺北帝國大學（今臺灣大學）畢業，戰後初期即任教於臺大文學系，後擔任臺灣省文獻委員會編纂委員。吳守禮曾纂修《臺灣省通志稿》其中的「人民志語言篇」（臺灣省政府，1954），而後也再自費出版《近五十年來臺語研究之總成績》（大立，1955），其中包含日人

文獻中所見的臺語、客語，或者臺人撰述的臺語及鄉土文學與臺灣話文論述。另也出版諸多《荔鏡記》的戲文、南管曲詞等相關研究著作。獲得第一屆「總統文化獎」百合獎的吳守禮，研究方面較著重於語言學，對於文學方面的討論與發展建議，於當時代仍少有較直接性的連結，但其窮盡一生心志專注於語言文化研究，在語文的研究與發展因政局變革而遭挫斷層時，其默默整理臺語及臺語的文學發展等相關文獻，這些著作也為後來臺語文學的理論奠基與研究，提供重要的參考。

就主流文壇而言，雖然一九七〇年代中後期開始有林宗源、向陽等人發表臺語詩，但仍未激起太大的影響力。而後 1979 年的美麗島事件，讓許多臺籍作家在思想上受到衝擊，於是轉而認同臺灣，少數作家對於母語的思考便有了較多反省。尤其 1987 年解嚴，臺灣的政治社會產生大變革，種種社會運動也有了更突圍的邁進，而臺語文學運動也隨著「臺灣文學正名」的外緣氛圍而有了更實際的行動，例如學者及民間工作者開始從事臺語的相關調查，或者部分臺籍作家有意識地轉向投入臺語文學創作、臺語文相關刊物的發行、撰述臺語文學的相關論述等等。在這些過程中，臺南人和臺南縣市政府於後續都仍扮演著重要角色。下一章將以四位長年居於北美洲的臺南人為主軸，介紹他們在一九七〇年代至一九九〇年代所從事的臺語文學運動、作品，以及相關的累積與影響。

第四章

解嚴前後的
臺語文字化
與文學化論述

一九六〇年代至一九七〇年代以降，北京話隨著國語教育的普及，已深植整個臺灣社會。這段期間的文學創作也幾乎呈現一元化，而不少年輕世代的臺籍作家，也開始以華文作品在文壇中嶄露頭角。日治時期的歷史或文學史，包括新文學運動、臺灣話文論爭等，因在教育中幾乎未曾被提及，一般的文學、文藝愛好者，對於戰前的臺灣作家相當陌生，而新一代的作家也還未能有對土地情感的反思，更遑論致力於本土語文的建構。然而，1987年解嚴前後的臺灣社會，無論在政治、社會或文化方面等各層次，都有相當大幅度的變革。其中包括以客家族群為主的「還我母語運動」，以及以福佬族群為主體的臺語文字及臺語文學的運動。

嚴格而言，「臺語文學」在解嚴前後，才真正進入「運動」與「發展」時期。因為無論是文字上的技術性改革、相關的論述與作品的產出等，此後都有更大的突破。本章將介紹四位對於臺語文字改革與臺語文學創作的學者與作家，他們都是遠居於海外的臺南子弟。包括鄭良偉與鄭良光兄弟在美國發起的臺文雜誌、推廣臺文輸入法、推動「臺語文」的標準化，以及遠居於加拿大的醫師陳雷、定居美國的工程師胡民祥，他們全心投入較長篇的臺語文學創作與理論的建構，為故鄉臺灣、臺南，留下許多文學建構的貢獻與經典作品。

第一節　鄭良偉的《臺灣語文月報》與《臺語詩六家選》───

如前所述，流亡日本的王育德在一九六〇年代發刊的《臺灣青年》專欄「臺灣話講座」最終回中刊出〈將來的臺灣話〉，提出「外國語以羅馬字書寫」、「漢字與羅馬字並用」、「改良羅馬字」、「將臺灣話更精煉」、「建立合理的言語政策」等五項主張。其中，「漢羅並用」的臺語文字表現，是戰後臺語文學運動在文字思想的轉變與實踐上相當重要的突破。而

這個理念，首先在美國得到落實。關於作為書寫「文學」的文字之改革，從戰前到戰後都有人提出討論與實踐，卻礙於現實的政策與環境而無法達成目標。因此，為了呈現臺語的「文學改革」更清晰的發展脈絡，這兩節仍要先聚焦於提出臺語「語文改革」的倡議者之重要貢獻。

首先，出身臺南基督教長老教會家庭的鄭良偉（1931～），於 1966 年即取得美國印地安納大學語言學系博士，其後便長期於美國從事語言學的研究與教學，而自一九七〇年代中期，便全心投入臺語的研究與推廣。1975 年 8 月，鄭良偉與李豐明、陳清風等人在美國創辦《臺語通訊》，開始喚起在美臺灣人的母（臺）語意識。這份雜誌在 1977 年更名為《臺灣語文月報》（本部設在紐約，編輯部設於芝加哥），並且對外發行，這是目前看到最早以「漢羅合用文」（「漢羅並用」）的文體來落實臺語文書寫的雜誌，也是最早以推動現代「臺語文」為宗旨的刊物。《臺灣語文月報》第 3 期（1977 年 7 月）的社論〈漢羅合用文初議〉提及：

> 《臺灣語文月報》是用臺灣 ê 各種語言寫 ê。目前 ê 月報內面 ê 文章若毋是用福佬話，就是用北京話寫 ê。**無外久 ê 將來，一定也 beh 有客話 ê 文章。**這是阮既定 ê 目標。希望有人用客話寫文章投稿，予這个目標早日達成。
>
> （粗體：引用者）

這篇文章不僅是以「漢羅合用文」書寫文章的倡議，該誌的刊行更是此倡議的實踐。尤其在當時的社論中，已相當明確提出要有客語文章的書寫目標。甚且，自該期（第 3 期，1977 年 7 月）開始也陸續連載賴仁聲（初時誤植為賴仁生）的白話字小說《可愛的仇人》。編者初時連載時這篇小說時，將白話字原文與改寫的漢羅文並刊，第 4 期之後則僅刊改寫的「漢羅」版。這樣的重新連載，除了是書寫文字的提倡，也是較長篇的「臺語

文學」作品之樣品展示；即讓讀者從作品中學習臺語，也見識以臺語書寫的文學樣貌。而尤其《可愛的仇人》原以白話字撰寫，雖然當時的讀者以教會信徒為主，但經過重新編輯刊行並逐漸被認識與論述之後，它不僅提醒往後臺灣文學的史觀必須重視以基督教及《臺灣教會公報》為主要傳播場域的白話字文學，也更影響了日後臺語文學的寫作與發展，包括文字書寫與文學面向。這個重刊的意義，正是白話字文學被納入臺灣文學史討論的第一步。

　　《臺灣語文月報》第 4 期也刊載王育德於該年 6 月至 8 月在全美同鄉會巡迴演講的消息，而第 5 期則刊出王育德的演講節錄〈我的語言履歷〉，這可謂是戰後以來海外的臺語文運動，尤其是日本與美國的臺語文字推廣運動的象徵性連結。另外，隨著電腦的開發，且開始被運用於文書處理，鄭良偉便研發出臺語輸入軟體（TW301）、斷詞軟體（TMLAP；Taiwanese-Mandarin Language Aid Program）、搜集臺語詞庫，並將這些技術應用於相關刊物的排版與發行。

　　鄭良偉往後的寫作、研究與教學，幾乎都不離臺語，且致力於漢羅書寫的推動與實踐。1976 年即出版《臺灣福建話的發音結構及標音法》，以西方語言學的學問來建構臺語的學術基礎，並將臺語研究與世界的多種語言文化加以連結。一九八〇年代之後，其再出版《從國語看臺語的發音》、《路加福音傳漢羅試寫》、《走向標準化的臺灣話文》等論述性著作，一九九〇年代後又與趙順文、方南強、曾金金等編著《生活臺語》、《親子臺語》、《大學臺語文選》等教育用書。1989 年，鄭良偉出版改寫自其研究論文的論述集《走向標準化的臺灣話文》，作者在〈序文〉開頭即表示：

臺灣話文漸漸 teh 標準化。這是筆者研究幾十年來臺灣話書面語發展的結論，也是觀察世界文明國家文字發展過程的心得。（粗體：引用者）

從書名來看，其延續一九三〇年代「臺灣話文」的未竟之路的目標相當明白。而這部書不僅是作者幾十年的「臺灣話書面語發展」的研究結論之精要，所謂「也是觀察世界文明國家文字發展過程的心得」；即作者並非將臺灣話的書面化發展視為單一地域的個案，而是放在世界上文明國家的文字發展脈絡來加以研究。尤其從第一句「臺灣話文漸漸 teh 標準化」，即可知作者對於臺灣話的文字之現代化進程及其呈現出的樣貌，包括知識分子書寫的文章，或者流傳民間的歌仔冊或民間文學之文本，已有相當明確的掌握。在將臺語置於世界觀點的視野加以研究之後，作者更在結語中，提出對於「臺灣話文今後 beh 按怎規範？」的意見，主要是三項重點，綜言之包括：

1. 使用者與研究者之間對於語文權威性標準應有適度的協調。
2. 漢字選用上重視其與現代臺語的適合性及系統性與一致性。
3. 標準系統及文字選用重視使用者學習臺灣其他語言或外語時所面臨的現代社會性情況。

如前所述，近代以來的「語文改革」幾乎伴隨著「文學改革」而前進。臺語文學的發展，自戰前的新文學運動開始便受到諸多外力介入而產生種種斷裂，遲至戰後仍無法順利發展。因此，鄭良偉的《走向標準化的臺灣話文》，正揭示了今後「臺灣話文」的規範乃當前最重要的課題。而很快地，這個臺灣話文應走向規範化的呼籲，與「文學」產生緊密的連結。

戰後臺語文學史中最初的文學選集，即是由鄭良偉編注、於 1990 年出版、以「漢羅」重編的臺語詩合集《臺語詩六家選》。這部詩選最早由黃勁連選擇作品，而後由鄭良偉改成漢羅並出版。《臺語詩六家選》收錄林宗源、黃勁連、黃樹根、宋澤萊、向陽、林央敏等六位作家的臺語詩作，鄭良偉在〈編注序言〉中提及此詩選的重大意義：

1. 向世界宣佈臺灣人 beh 疼惜、維護、發揚母語的意願。
2. 向臺灣的知識分子示範，母語寫作文學有親切深刻效果及廣闊的發揮空間。
3. 向臺灣的臺語群眾表示臺灣的知識分子 beh 努力及個認同的心態及誠意。
4. 提供詩人個案研究資料，便利以後臺語文學史的研究。
5. 追尋臺語文學有卡簡單化、卡統一的文字標記法。

《臺語詩六家選》可謂臺語文學運動史上極重要的階段性里程碑之一，其出版時間也宣告著臺語文學的遲到，甚且此遲到的成果：一部集結臺語文學「大家」的著作，僅是「文字使用量」相對而言較少的文類——臺語詩。換句話說，當時即便有越來越多作家投入臺語的寫作，但其作品也仍以詩為主。另外，第 2 項「向臺灣的知識分子示範，母語寫作文學有親切深刻效果及廣闊的發揮空間」，即可見鄭良偉欲藉此詩集推廣母語文學的決心。而從第 5 項意義可明確看出，臺語文學的文字之「標準化」，亦即，臺語的「語文改革」，仍被當時卻推展臺語文學的運動者視為極重要的目標。

　　無論是研發臺語輸入軟體、斷詞軟體、搜集臺語詞庫等，或者於電腦更加普及的一九九〇年代以降發刊臺文雜誌、臺文推廣，乃至《臺語詩六家選》的編選出版，鄭良偉都扮演著先驅性的角色。要說後人據其理論性與技術性的基礎再加以改良、研發以及實踐，而成就今日的臺文風景，實

不為過。尤其鄭良偉後來回臺任教，並且在 2002 年擔任「國語推行委員會」主委的任內推動語言平等法（「語言平等法草案」2003 年通過），這項草案，可謂是 2019 年通過的「國家語言發展法」之胚胎草案。

在那個母語意識仍有待啟蒙的時代，雖然鄭良偉在 1977 年於美國創刊的《臺灣語文月報》，在發刊當時的影響力仍有限，但「語文改革」乃為「文學改革」的初步基礎，且雜誌中也實際連載臺語文學作品，就這個意義而言，《臺灣語文月報》在臺語文學史上有極重要的意義。

而就在島內展開戰後最大規模的臺語文學論戰之際，以全臺語書寫的雜誌《臺文通訊》，也於 1991 年 7 月在美國洛杉磯創刊，其更加聚焦於《臺灣語文月報》對於臺灣語文標準化的實踐理念與運動目標，而創刊人正是小鄭良偉 18 歲的胞弟，也是留學美國的貿易家鄭良光。《臺文通訊》尤其對往後的臺語文學論述與臺語文的普及扮演相當關鍵性的角色，下一節就來介紹鄭良光與《臺文通訊》。

第二節　鄭良光的《臺文通訊》與「臺語文」普及

解嚴後至一九九〇年代初期，臺灣島內展開了戰後最大規模的臺語文學論戰。從呂興昌主編的《臺語文學運動論文集》卷二中，可見當時許多作家對於「以臺語寫作」、「臺語文學」等議題提出的種種意見。[44]不僅島內有多數支持者的聲音，來自海外的聲援者也不少。例如旅居日本的鄭穗影（沙卡布拉揚）、許極燉，以及居於美國的蔡正隆、胡民祥、羅文傑、李勤岸（當時於夏威夷留學）等人。其中，「羅文傑」正是《臺文通訊》的創辦人鄭良光之筆名。

---

[44]── 與者及各自發表的文章內容，可參考呂興昌主編，《台語文學運動論文集》，臺北：前衛，1999年1月。其中，主要的支持者包括：林宗源、宋澤萊、林央敏、洪惟仁、鄭良偉、林亨泰、鄭穗影、黃勁連、林錦賢、許極燉等，而當時持反對意見者則主要有廖咸浩、陳若曦、李喬、彭瑞金等人。另外，就林央敏主編的《語言文化與民族國家》（前衛，1998）一書中，所收入支持臺文文章則更多了，作者當中，除了上述的支持者，還包括吳長能、胡秀鳳、林明男、張春凰、董育儒、李勤岸、吳國安、羅文傑、郭春換、蔡正隆、胡民祥、戴寶村、許世楷、許曹德、楊維哲、林玉体、鄭邦鎮、莊柏林、黃元興、廖瑞銘、張學謙；另外還附錄30多篇來自作家、學者、政治人物等各領域所提出的意見之節錄文章。

1991 年 7 月，彰化縣立文化中心舉辦「臺語文研究會議」，羅文傑特地自美國返臺參加並發表論文〈滅種中的臺灣語言〉，此論文後來收錄於林央敏主編的《語言文化與民族國家》（1998）。此文全文以臺語漢字書寫，並以「臺灣話的命運」、「消滅臺灣話的三種人」、「愛保存的臺灣話」、「建立標準化的現代臺灣語文」等 4 項主題展開論述。尤其第 4 項「建立標準化的現代臺灣語文」，不僅是作者當時的呼籲，且已是其在同一時間即已展開的實踐之路。

　　鄭良光（1949 ～）出生於臺南，臺南二中畢業後，進入淡江文理學院修習企業管理，於一九七〇年代便前往美國，1980 年取得夏威夷大學企業管理系碩士學位。畢業後曾留在夏威夷工作，而後前往洛杉磯從事國際貿易，隨著事業擴展後便長居美國至今。鄭良光赴美初期，也正是鄭良偉開始組織「臺灣語文推廣中心」、創辦《臺語通訊》、《臺灣語文月刊》之時。除了因從小在臺南長大，而有較深刻的語言環境所培養的語言意識，對於臺語也可有文字寫作這樣的「語文意識」，即是受到兄長鄭良偉的啟蒙。

　　鄭良光在參與創辦「臺美學校」的過程中，意識到若要教下一代臺灣人母語，若不藉文字來普及、沒有出版語文教育書籍，那要持續保留這個語言非常困難，於是他大力投入臺語文的推廣運動。1991 年 7 月，鄭良光在洛杉磯創刊《臺文通訊》（Taiwanese Writing Forum），這份刊物最大的實踐意義，即前引〈滅種中的臺灣語言〉中提及的第 4 項主題：「建立標準化的現代臺灣語文」，而這份刊物也可謂將鄭良偉的學術研究與語文倡議加以落實並擴展的實踐場域。

　　《臺文通訊》中的編輯室、魏真光、羅文傑等署名的作品，皆出自鄭良光。而在〈發刊辭 按會徽講起〉文中，鄭良光明確指出，這份刊物要「扮

演一個『火種』的角色，來延續臺灣語文ê香火」，且其語重心長地發出期望式的呼籲：

> 語言 kap 文字是有社會性ê物件，臺文普及化 kap 標準化ê運動是 m̄ 是會成功，臺灣話是 m̄ 是會當繼續做臺灣地區ê普通話，愛靠所有認同臺灣、疼臺灣ê人做伙來關心才有法度通達成。當阮這枝「蕃仔火」燒盡ê時，阮相信有濟濟ê蠟燭會將這 pha 火繼續傳落去。

為了臺文的「普及化」與「標準化」，這枝「蕃仔火」推動臺語文的寫作，它點燃後並未即刻燒盡，反而持續燃燒 12 年，且於 2013 年正式與在 1996 年於臺北創刊的姐妹報《臺文 BONG 報》合併成為《臺文通訊 BONG 報》，至今仍是稿源不斷且每月持續發刊。可以說 30 年前的這把「蕃仔火」，不僅從未熄滅，其點燃的臺語文書寫意識，已是星火燎原。

鄭良光以商學經驗推廣《臺文通訊》，創刊翌（1992）年，即以每月上萬份的發行量展現其將以「漢羅並用」的「臺語文字化」目標之企圖與決心。鄭良光在雜誌中以臺文書寫各種議題、宣傳大小型的臺語研習會或讀書會，且推動使用 TW301 臺文輸入法，讓臺語文字能夠跟上電腦時代，進而達到書寫的標準化。例如《臺文通訊》第 3 期首頁，即置入一幅顯目的電腦圖樣，螢幕部分嵌入標題文章〈逐家來學臺語電腦〉，而文中也再次強調使用 TW301 的一個很重要的目的，即在於「標準化」與「普及化」：

> 有臺語電腦了後，輸入羅馬字電腦就會顯示漢字，等於每一字攏有查過字典才寫出來，使用者用臺語電腦寫臺文ê時，漢字會真有自信，同時通過臺語電腦ê普及，逐家所使用ê字就會愈來愈接近，臺文自然就會

標準化。臺語電腦會當方便臺灣雙語教育本土文化教材 ê 編寫，促進臺文 ê 普及化。

TW301 輸入法在當時即已內建約 5000 個單音詞、8000 個雙音詞，可說是極充實的詞庫，且由此文亦可知，在臺語文學論戰如火如荼展開的過程中，海外的學者與運動者已開始將語言學者的學術研究與結合現代科技的開發成果，與時並進地藉著雜誌的刊行，將臺語文字的書寫與閱讀推向更廣的社會層面。尤其學習以臺語「打字」的同時，每個人都透過這個過程來「確認」自己的臺語字使用是否正確，如此一來，不僅個人從中獲得對臺語用字上的自信，更多人使用，也將對於文字的標準化有所助益。

雖是為了推動「標準化的現代臺灣語文」而發刊，但《臺文通訊》也實際地培養了「臺文作家」。例如下一節將介紹的旅居加拿大的臺語小說家陳雷，他的許多臺文作品便是發表於《臺文通訊》。而同為旅居加拿大的大河小說家東方白在收到《臺文通訊》不久後，便開始以臺語寫作，且在雜誌開設臺語散文專欄，連載的作品包括〈學生無嫌老〉、〈上美（婿）的春天〉、〈黃金夢臺語小說前言〉、〈自畫像〉、〈論姦情〉、〈鏡〉……等多篇；而後更將其臺語文章集結出版為《雅語雅文 東方白臺語文選》（前衛，1995）。

但也因雜誌採用的「漢羅合用文體」主張，就未來在臺語文學創作方面的實踐而言，即是很清楚地宣告：「羅馬字」也是「字」，無論是否與漢字並用，它都可以用來書寫臺灣文學。正是這樣的主張，也為建構中的臺灣文學，帶來一連串的觀點之爭，包括以母語寫作是否有其正當性、白話字文學能否視為臺灣文學等。而《臺文通訊》也是參與這場論爭的重要角色之一，羅文傑在《臺文通訊》第 13 期（1992 年 10 月）即以一篇〈臺灣文學 ê 盲點〉，來提出「白話字」於臺灣文學史上的重要性：

白話字 tī 臺灣有百外冬 ê 歷史，beh 研究臺語 ê 變遷、beh 整理臺語文學史，甚至 beh 研究臺灣民間 ê 歷史，無包括用白話字寫 ê 文獻，一定無法度看著臺灣先民歷史 ê 全景。這 m̄ 是講研究臺灣史、臺灣文學史一定著用白話字，只是 beh 提醒，不管白話字是 m̄ 是會像「新港文」（一種平埔族羅馬字）全款失傳，白話字 tī 臺灣文字發展史 ê 內底，扮演著相當重要 ê 角色。

此文以「漢羅合寫」的文字形式呈現，作者向臺灣史及臺灣文學史的研究者呼籲，應重視已有悠久歷史的教會「白話字」之文獻，且該期也介紹了賴仁聲的「白話字小說」《可愛的仇人》，乃可謂延續前述鄭良偉以展示臺語文學作品的方式，來喚起讀者思考臺語作為文學語言的可能性。當然，「漢羅合寫」的主張以及其呈現的文體，確實也引起習慣閱讀全漢字中文的部分讀者一些反對觀點（如東方白亦曾提出反論）。但無論如何，白話字文學在臺灣文學史上開始逐漸地被重新看待，此時期的雜誌發行及其內容極具開拓的意義。

往後，《臺文通訊》刊載越來越多有關臺灣文學、臺語文學之間的相關討論，但當時的「臺灣文學」也正值努力進入體制化的準備階段，因此，面對「臺語文學」所提出的語言問題，無法即時面對與解決，使得雙方的提倡者之間形成一番對立。例如陳明仁在第 9 期中的〈講一寡臺語文學 ê 問題〉一文提及：

1991 年十月中，成功大學 ê 臺語社 bat 針對臺語文學 kap 臺灣文學 ê 問題，舉辦一場座談會，由我主持，邀請林瑞明、葉石濤、林宗源、黃勁連四位先生做討論，林宗源先生主張臺語文學才是臺灣文學，黃勁連先生較傾向這个主張，林瑞明教授 kap 葉石濤先生無贊成這款講法。照我所知，

林央敏 mā bat 寫文章支持臺語文學才是臺灣文學這个論點。李喬認為思考 uì 臺灣出發、寫臺灣感情 ê 攏應該算做臺灣文學。

我感覺兩派 ê 論點攏會當 hō 我接受，m̄ 是我投機，主要是定義 ê 問題。林瑞明有問林宗源對臺語 ê 定義，林宗源真正當性回答講：Hō-ló 話、客語、原住民語。當時伊敢若無講著華語；我想這就是關鍵。

Tī 反抗陣營傳統性對臺灣人 ê 定義是：臺灣 ê 現住民，有認同臺灣為命運共同體者。這內面涵蓋 Hō-ló 人、客人、原住民 kap 上晏來臺灣 ê「外省人」（有人講應該稱呼做第一代臺灣人）。假使講臺灣人若包括這四種人，臺語就應該包含第一代臺灣人 ê 母語－華語才 tióh。若按呢，爭執 tī 佗位？我想林宗源先生 ê 意思 m̄ 是反對華語作品，應該是反對母語 m̄ 是華語 ê 作家，用華語來做寫作 ê 思考語言。所以講「臺語文學才是臺灣文學」ê 意思，就是講臺灣 ê 人用家己 ê 母語寫有關臺灣社會 ê 文學才是臺灣文學，若是母語 m̄ 是華語 ê 作家用華語思考寫出來作品就 m̄ 是臺灣文學。[45]（粗體及底線：引用者）

陳明仁替林宗源的「臺語文學才是臺灣文學」之語所遭到的誤解提出澄清，並強調母語非華語的作家，應轉身走向以母語書寫的行列。那麼，從這個時期開始，「臺語文學」逐漸具有「廣義」的「臺語」之意義，即包含「臺灣的語言」。而當時的臺語作家也已呼籲著母語非華語的臺灣各族群的作家，應挺身從事母語寫作，建立其所謂真正的「臺語文學才是臺灣文學」之內涵。而從許多母語文學提倡的論述中也多可看出，這樣的內涵，具有著對抗殖民統治與國語政策的意義。

---

[45]── 陳明仁，〈講一寡台語文學 ê 問題〉，《臺文通訊》9，1992年3月，頁2。

簡言之，鄭良光與《臺文通訊》扮演了連結海內外臺語文學工作溝通管道的角色，讓母語力量自海外傳回臺灣島內。在鄭良光的影響下，廖瑞銘、陳豐惠與陳明仁在 1996 年 10 月同步發行為了提升「臺語文學」品質的姐妹刊物《臺文 BONG 報》，臺語的文學作品，特別是詩以外的長篇之作，包括小說、散文、劇本等，都有了更多發表與被看見、被討論的空間。

第三節　旅加醫師陳雷的「鄉史」文學「補記」

　　《臺文通訊》培養了不少重要的臺文作家，其中最重要的作家便是旅加拿大的醫師陳雷。陳雷（1939～），本名吳景裕，祖居為臺南麻豆，而因父母在中國南京經商的關係，其於南京出生，戰後才遷回臺灣。原居於臺北，小學四年級時才搬至臺南，高中前都在臺南受教育，後考進臺灣大學醫學系。1965 年，陳雷便赴美國密西根大學擔任實習醫生，翌年則前往加拿大多倫多攻讀免疫學；後於英國進行博士後研究，1972 年回到加拿大，並自 1973 年始任開業醫師；現已退休。1985 年才第一次回到臺灣，即使人在海外，長期無法回臺，但陳雷作品所寫的，幾乎都是失落於家鄉臺南的歷史故事。

　　陳雷在一九六〇年代即曾出版中文詩集《神話集》、《頌歌集》、《仲夏的末了》，以及中文散文集《在年青的夢幻裡》；從一九八〇年代初期即開始寫作二二八小說，1988 年則出版臺灣第一部以二二八事件為背景的長篇小說《百家春》（自由時代，1988）。主要的作品集包括《陳雷臺語文學選》、劇本《陳雷臺灣話戲劇集》、小說有《阿春無罪》、《無情城市》、《永遠 ê 故鄉》、《鄉史補記》、《白色 ê 甘蔗園》等等。其他還有諸多臺語新詩、散文、小說、戲劇及評論等著作，也曾出版臺語故事的錄音帶《陳雷講故事》（台笠）。

陳雷在 1987 年 9 月即發表以漢羅合寫的臺語小說〈美麗 ê 樟腦林〉（美國出刊的《臺灣文化》），往後就逐漸轉為以臺文創作。作為《臺文通訊》共同發起人之一，陳雷的詩作、散文、論述、小說、劇本，多發表於《臺文通訊》，也可說是該誌的主要作家。另外，陳雷的臺語劇本〈厝邊隔壁〉、〈有耳無嘴（喙）〉，也曾於 1996 年「第 2 屆北美臺灣語文夏令會」晚會中演出，主要的演出者即鄭良光夫婦。

陳雷擅長以鄉里故事、臺灣民間的奇異見聞，結合政治及社會事件來批判當局的施政。例如〈美麗 ê 樟腦林〉、〈圖書館 ê 秘密〉、〈起瘖花〉、〈大頭兵黃明良〉、〈阿春無罪〉等多篇，都是書寫白色恐怖時期的題材，且小說主角多為底層人物，將白色恐怖觸及到民間社會諸多死角中的陰影與勢力，加以挖掘並揭露出來。長篇作品稍後再談，陳雷於 1965 年出國，首次回到臺灣則是 20 年後的 1985 年，他的臺語詩作也相當反映思鄉的心情。例如這首〈金山頂——探阿娘 ê 墓〉，以詩抒發作為長年無法回臺、終於回臺，而前往探望母親之墳的複雜心境：

　　近近是臺灣 ê 雲

　　毋是加拿大 ê 雪

　　炎日叫大海 iat 風

　　青天久別色 siōng

　　草木 sì-kè lóng 開花

　　山路細條無人客

　　已經一切無聲也無說

　　免 koh 畏寒驚霜雪

　　Tse 形影無人怨 tsheh

有看見一時海鳥慢慢 seh

我手 --nih beh 寫心悶 hit 2 字

一百回寫 bē 周至

我心內 teh 算 siàu 念 he 波浪

一萬年算 bē 好勢

臺語的「心悶」，意為思念。無法將思念好好寫出，而想藉細數浪花來整理思緒，卻是千頭萬緒，無法整理。包括而後陸續改寫並出版的長篇之作《永遠 ê 故鄉》、《永遠 ê 甘蔗園》、《白色 ê 甘蔗園》等，都可謂長年無法回臺的陳雷，將對親人的思念化作對故鄉臺灣之思所進行的綿長書寫。陳雷長期以來的書寫主題逐漸走向一個確立的目標，即重新建構原廣泛居住於嘉南平原的西拉雅族之平埔族認同，2008 年出版的《鄉史補記》，即是其首部臺語大河小說作品。

《鄉史補記》出版之前，陳雷已先發表短篇及中篇版的〈鄉史補記〉，內容即是臺南麻豆，尤其是位於蕃仔田瓠仔寮的兵營附近一帶關於「人吃狗」，而後又產生「狗吃人」的軼事。小說中特別提起臺南縣文獻委員會委員詹先生曾將此事錄於鄉史之中，卻招致鄉親不滿，謂被「挲圓仔湯」（so înn-á-thng）而亂寫一堆「白賊話」（pėh-tshàt-uē）。但作者認為事出有因，於是四處訪談考察，整理而得此篇來作為正史以外的補充。

〈鄉史補記〉記述戰後初期鄉里中的一段恐怖軼事，而開頭便明確地置入了作者重構地方誌的意圖，因對於鄉史中「狗吃人」的傳說抱持疑問，為了補足「正史」而從事田野調查，並寫下這段故事。小說開頭便提起蕃仔田瓠仔寮因為「外來狗」來了之後，發生許多衝突事件，竟導致狗吃人的悲劇。主角勇仔是個地方的「竹雞仔」（tik-ke-á，地痞流氓），因懶惰

的妻子想吃虱目魚，而讓母親至市場買魚，魚卻在回來的路上被狗吃掉，勇仔憤而殺了狗讓母親煮來吃。透過地方上人稱「雙頭蛇」、「十二指」的「竹雞仔」（地痞流氓）勇仔與「外來狗」的結怨端由，以及所造成的狗吃人之悲劇，小說暗喻一般地批判外來權勢對於地方社會與文化的侵蝕與改變。

　　作者如說書人一般，以相當道地的臺語來傳述這個風聲很久的故事之因。而光是描繪這位老母親的「古意」與妻子的「貧惰」筆調，就相當傳神：

> 這个勇仔的老母名作郭王畚箕，歲頭食到七十六，身體猶勇 khiàk-khiàk，頭鬃烏烏毋免染，喙齒 tīng-tīng 猶會哺甘蔗。Tō 是干焦彼个目睭 bái，看物件有較輸人。總是伊一世人歹命底，少年來拖磨，老來 kā 勇仔娶一个某 tī 曆裡，這个新婦生理人 ê 查某囝，好跤好手，干焦工課毋做，較貧惰 he 死人。規日椅來坐飯來扒，三頓掛點心攏是 ta-ke leh 服侍。食 kah 一身軀肥肥，椅頭仔坐落 peh 袂起來。穀興里 ê 人看袂慣勢，面頭前叫伊：「春臼仔，有閒來阮兜坐。」尻脊後 king-thé 伊：「畚箕 tshiânn 春臼，ta-ke 服侍新婦。」

每一句敘事語言都相當口語卻也非常精煉，又是動作、又是協韻，鄉里人對媳婦的諷刺說詞，更是出口成章一般地如詩如謠。以這樣充分展現文化氛圍的詞彙語句來構成的文學之作，要翻譯成中文或外語，恐怕非常困難，而這也突顯以在地語言書寫的文學作品獨特與難以取代之處。而勇仔後來成為鄉里中一間「菜店」的常客，妓女金枝仔曾在新營的酒家工作，年紀稍長後輾轉來到麻豆鄉村，懷了身孕後想找能依靠終身者，鄉間小鎮普遍水準不高，阿勇成為金枝寄望的將來，於是說肚子裡的孩子是阿勇

的。不過，老娼金喙嫂仔不容許孩子生下，以補胎之名讓金枝吞下墮胎藥。翌日金喙嫂欲將墮下的死嬰拿到郊外丟棄的途中，死嬰竟被野狗吞掉。而後，「狗仔 tsing 墓壙」、「人吃狗」的謠言便逐漸傳開。

短篇的〈鄉史補記〉，看似鄉里記者，卻是對於戰後初期的政治現象有著深刻的諷喻書寫。而文中的性別描述，例如女性也使用「恁爸」等男性化的用語，也再現了舊時代庶民女性的「中性」或有「男性化」的強勢與野性形象。這樣的書寫，或可謂表現出鄉野間仍存在的平埔母系社會，正處於受漢文化影響之過渡期的一個縮影。〈鄉史補記〉是陳雷開始思考平埔族書寫的起點，也是長篇小說《鄉史補記》最早的雛型。後來陳雷將小說再加筆成為中篇，之後又陸續延伸寫作，並將時間軸線更加拉長，且在史料極度闕如的狀況下，其多次回臺訪問鄉里耆老、從事田野調查，終於耗費 6 年時間，以全文約 27 萬餘字的篇幅完成長篇小說《鄉史補記》。

《鄉史補記》之「補記」，乃為補足「正史」中罕見的平埔族敘述。全書分為「西史補記」與「東史補記」兩大部，故事從十九世紀初期的臺灣縣善化里西堡大內說起，此地當時有漢人設置的隘口，漢人命西拉雅人擔任隘丁來防範蕃界。但西拉雅族的隘丁們因不堪長期遭受漢人隘長的虐待，於是殺害隘長並逃亡。有些人向東走入山內，經過茄拔溪進到二社（玉井一帶），又再往東遷徙，涉水渡過楠梓仙溪到達阿緱廳羅漢門，最後再涉過荖濃溪、越過中央山脈，抵達臺東卑南。而另一群人則是往西前進，從灣里溪（曾文溪）來到嘉南平原，開拓了西拉雅族的原鄉之地。小說中，以西拉雅族的幾個家族發展史為主軸，從清治時代、日本時代至戰後的國民政府時期，時間橫跨約兩百年；這些西拉雅族們，經過外來者的壓迫，語言及文化在政權交替過程中不斷被淘洗、淘空，也漸漸蛻變成今日所謂

的「臺灣人」。換句話說，眾多的「臺灣人」，事實上都是西拉雅族、臺灣各平埔原住民族的後代。

小說裡的人物眾多，但刻畫的主體視角多置於西拉雅的女性，其中描寫她們的堅毅、勤奮、活潑、獨立與自信。例如西史人物主角之一的包心（賴蔥），為了替族人 Ku-ka 的妻子罔輕報仇，設下了美人計殺死隘長洪青番。或者另一段描寫少女阿 Suí 媽母（Mabutirat），遭到漢人巡檢強暴而懷孕，大腹便便想盡辦法脫逃並在野地中生下孩子的經過。少女在沼澤處為了讓初生的孩子不遭野生動物的侵害，細心地以姑婆芋包覆嬰兒，忍著產後的痛楚繼續在黑暗中往前走的細緻描寫，將兩百多年前的故事與場景都刻畫得相當寫實生動。

《鄉史補記》的思想內涵，可謂去殖民、去漢，以及著眼於女性史觀等三位一體的建構。小說中的少女在山林與野地求生的悲慘遭遇，即便遭到迫害，都比男性更加勇敢面對，且充滿堅毅韌性地扶持著下一代。其不僅血淋淋地呈現出原始在地的臺灣族群，所受到漢族這個外來統治者暴行的經過，也宣示著世世代代的臺灣人，無論如何被改造，其身體所流著的都是西拉雅族的血液。這部小說，不但是臺語文學中以追尋及建立平埔族史觀的典型之作，也將大臺南的在地書寫之時空與認同想像，更可追溯至數百年前。而小說描述這些西拉雅族從被滅族到尋找認同的軌跡，也可謂作者以平埔族觀點來重新建構臺灣史觀的實踐。

第四節　臺美人作家胡民祥的臺語文學理論與作品

解嚴前後積極投入臺語文學運動的另一位重要作家，是出身臺南縣善化鎮的胡厝寮的胡民祥（1943～）。本名胡敏雄的胡民祥，目前定居北美洲匹茲堡郊區。臺灣大學機械工程系畢業，紐約州立大學水牛城分校機

械工程博士；曾以許水綠、許石竹、李竹青、莊家蘭、莊家湖、簡水藍、曾文郎、胡敏雄等筆名及本名發表作品。1967 年至北美洲留學後，即投入海外臺灣人運動，1988 年才初次回臺。

　　理工科出身的胡民祥，在留美期間即曾於政論雜誌發表許多文章，由政治運動的參與中，意識到文化重構的重要性，進而投入臺灣文學的研究。1980 年他開始業餘地鑽研臺灣文學史，發現一九三〇年代曾發生「臺灣話文論戰」，於是參考西歐各民族母語文學史，嘗試建構臺語文學及其理論。1983 年即參加「臺灣文學研究會」，並陸續發表臺灣文學研究論文，前後安排 14 位臺灣作家到北美訪問演講。1986 年開始臺語文學創作，含括小說、評論、詩及散文。1987 年 5 月發表於《臺灣新文化》雜誌的〈華府牽猴〉，為戰後第一篇以全漢字書寫的臺語小說（6 月號刊出宋澤萊的〈抗暴的打貓市〉）。另外，胡民祥也發表多篇建構臺語的文字化與民族意識連結的理論文章，其發表於《臺灣新文化》的〈舌頭與筆尖合一：臺語文學運動的深層意義〉，即試圖以臺語文學作為本土化與民族文學的基礎，以其展望臺灣新文化，被林央敏視為戰後第一篇最完整的臺語文學理論建構。

　　為讓留學生有機會閱讀臺灣文學作品，胡民祥編輯出版了《臺灣文學入門文選》（1989），此書後來也成為許多臺灣人的臺灣文學入門書。1995 年，其策畫執行蔡正隆發起的第一屆「世界臺灣語文營」，將島內和海外的臺語文學運動加以連結。1998 年至 2002 年任《臺灣公論報》二版副刊編輯，極力鼓吹及栽培臺語文學作家。曾出版《胡民祥臺語文學選》、臺語文社論集《結束語言二二八》、臺語散文集《茉里鄉紀事》、臺語小說集《相思蟬》等多部著作。胡民祥在 1991 年參與發起「蕃薯詩社」，並開始創作臺語詩，也是現今仍繼續發刊的《臺文戰線》創社社員，

現仍擔任社務委員。雖然身在海外，但胡民祥一直持續創作且資助臺語文學社團及相關工作。

《蕃薯詩刊》第 5 輯（臺笠，1993 年 12 月）刊出胡民祥多首詩作。其中的〈你莫去〉，寫的正是以父母的角度描寫思念無法回臺的兒子，以及對於無法理解所謂「黑名單」心情：

想講
你莫去
料未到
一去二十年
你飛出松山的秋天
我四十外
如今
四十外的是你

知影你有
兩个千金抹牛油
食麵包配牛奶
毋知有愛食
燒肉粽無？

聽講啥物？
海外有烏名單的飛鳥
敢是若像
曾文溪埔飛天的烏鶩

毋過
烏鶩雖然秋天後消失

總是若到春天
個會閣飛倒轉來嘉南平原

恁內公外媽看無你
春天時常問起
到九十外猶原無影
個只好先轉去

想講
你莫去
想未到
一去二十年

到今
猶原是
失蹤的烏鶖

於 1967 年赴美留學，原預定取得博士學位就回臺，胡民祥卻因參與同鄉
會運動而被列入黑名單。〈你莫去〉首段以簡單爻了年歲之對比，強化了
時空的隔絕與政策的無情；內公、外媽的等待因生命有期，更深刻了長輩
對孫兒的無盡疼惜。而「烏名單」與臺灣特有鳥類「烏鶖」的對照疑問，
也成為對於無情政治更堅決的控訴。

　　另一首〈無咧想伊〉也是更刻畫了海外遊子對故鄉臺灣長遠的思念：

無咧想伊
拄擇頭的時
若像影著伊咧笑

無咧想伊

當專心處理工程問題的時
若像聽著伊咧叫你

無咧想伊
隆隆車開過秋天的山谷
若像看著身材修長的伊
踏過樹葉仔滿地的山坪……

無咧想伊
冬尾風裡飄搖的菅芒花
若像是伊四界走俗的形影

無咧想伊
伊哪會不時飄來
我的腦海
若像天俗地無偌遠咧

詩人以否定的方式下筆「無咧想伊」，事實上是無時無刻思念著，思念著這個如情人一般的故鄉臺灣與家人，抑或是因政治迫害而早逝的摯友（陳文成，1950～1981）。與臺灣島嶼遙遙相離的胡民祥，含蓄地壓抑自己對於故鄉或摯友的想念。他對於故鄉的思念，也以多篇散文呈現。臺語散文集《茉里鄉紀事》收錄的第一篇散文〈阮阿公〉，即書寫著與親人「生離」之景，以及無法如願的「死別」：

嘉南平原是阮故鄉，是阮阿公的田園世界。……廿一年後，我轉去的故鄉，已經無阮阿公，阮阿公彼代的人攏總消逝去。為啥物？愛故鄉的人著愛流浪四分之一世紀，著愛親人攏過身真久，然後才會使轉去故鄉。為啥物？我已經無阮阿公通問伊：為啥物？

一連串的「為啥物？」，被以阿公聽得懂的話語悲慘地吶喊著，若非國民黨政府實施戒嚴及黑名單政策，作者不會在海外流浪二十多年，不需要等到親人過世許久才能回到故鄉，更不會使原以為只暫留的美國成為第二故鄉。胡民祥無可奈何地將定居的美國賓西地方 Murrysville，以臺語名之為「茉里鄉」。《茉里鄉紀事》正是一部臺美人在第二個故鄉思念原鄉的散文集。

離鄉 21 年後的 1988 年，胡民祥首次返臺，看到故鄉宛然如新，所有記憶快速回到孩提時的「庄跤」印象。正因是在未料、被迫的狀況下不得歸鄉，與一九六〇年代「來來來，來臺大；去去去，去美國」的部分自願留美、選擇移民的外省籍臺灣人心情大不相同。尤其這批長年不得返鄉的臺灣人在海外接觸、參與如 FAPA（臺灣人公共事務會）、WFTA（世臺會）等臺灣人的團體及活動，加上得知島內相繼發生如 1979 年美麗島事件、1981 年陳文成事件等不公不義之事，使得海外臺灣人受到更大衝擊也更積極從事獨立運動。

參與同鄉會期間，陳文成一直是胡民祥堅持走左翼臺獨路線的好伙伴，兩人也常討論臺灣文學的發展。1995 年，胡民祥便曾以散文〈火種——陳文成紀事〉記念他的摯友：

> 臺灣人出頭天的運動一直有兩條路線鬥爭，一條是革新保臺：就是議會改革路線；另外一條是革命路線：就是傴倒國民黨政權。經過美麗島事件的打擊，濟濟的人才看出革命是出頭天的唯一路途。革命是戰略，是出頭天的指導中心；改革只是革命的種種戰術中的一環。[46]

46—— 引自胡民祥詩〈火種——陳文成〉，《胡民祥台語文學選》，臺南：臺南縣立文化中心，1995年11月，頁39。

這篇文章不但補述了陳文成在運動光譜上的位置，也是作者對於一九九〇年代以降臺灣民主化運動的路線之反思，透露其對於逐漸走向體制內改革的方向之擔憂。

而作為參與海外臺灣人運動的「臺美人」，胡民祥也以自傳式的短篇小說〈簽證〉，寫下見證自己確實成為「黑名單」的過程。小說的主角許青峯於 1967 年留學美國，畢業後順利進到西屋公司工作，至 1981 年 6 月之前都不曾回臺。某次因商務之需前往日本開會，而在上司的建議下順道規畫回臺。出差期間，青峯到奈良旅遊，於東大寺旁的鹿苑，回想起也曾在此與鹿合影的臺灣新文學之父賴和，回想起臺灣曾是逐鹿之島，回想起自己在海外參與的民主運動以及日夜思索的回鄉之路。但前往大阪「亞東協會辦事處」申請回臺簽證時，卻因「電腦裡有資料」而受阻礙。只能直接返回美國的青峯，幾週後聽到摯友杜文勇（現實中的陳文成）回臺時遭警總約談後橫屍臺大校園的消息。這件 1981 年的「驚歷」與創傷，或也成為胡民祥更積極投入「臺灣民族文學史」研究與臺語文學運動的力量。而胡民祥在陳文成事件過了約 30 年之後的 2013 年寫下小說〈相思蟬〉，小說中對兩人之間的交誼與軼事，乃至主角思索陳文成受到刑求的經過等有深刻的描繪。今日讀者大概很難想像胡民祥如何壓抑在心中的痛楚，一方面建構母語文學理論，一方面寫下這些經歷離散與見證時代的母語文學作品。而這些作品，不僅作為臺語文學，也成為臺美人文學、黑名單文學中重要的書寫內涵之一。

本章介紹了四位出身臺南、長年於海外為臺灣及臺語文學努力的學者、貿易家與文學家。而除了海外的語文運動，臺灣本島的「臺語文學運動」亦約於 1975 ～ 1980 年之間萌芽，一九七〇年代的「鄉土文學論戰」與一九八〇年代初的「臺灣文學正名」議題，都對含有民族意識和反抗極權壓迫的「臺語文學運動」形成推力。而臺語文學的風氣起始於一九八〇年代初期，除了將一九七〇年代林宗源、向陽等人創作的「方言詩」之卑微地位，正名回「臺語詩」和「臺語文學」，至一九八〇年代中期，隨著臺灣人在自主意識的覺醒及臺灣文學的主體性追求，更多語言學家和作家更積極而有計畫地投入臺語的整理和研究及文學創作，他們相繼在《臺灣新文化》、《新文化》等政治文化雜誌，《自立晚報》、《民眾日報》等報紙媒體，《臺灣文藝》、《笠》等文學雜誌，發表許多臺語文學相關的創作與觀點。

　　而臺南作家在一九九〇年代以降更具有組織性地投入臺語文學運動，他們舉辦以臺語文學為主題的營隊、出版更多臺語雜誌、臺語文學作品集，下一章便是要介紹臺南的許多作家們，如何將臺南打造成為臺語文學的重鎮。

第五章

一九九〇年代至
二〇〇〇年前後
的文學活動與作家作品

隨著 1987 年的解嚴，民主化運動更逐步推進，臺灣文學也在一九八〇年代有了更在地視野的討論，從鄉土文學「正名」為臺灣文學，並且逐漸朝向體制化的學術奠基。於此同時，隨著知識圈對於「國語政策」所帶來的影響有著更深刻的反省，以及作家們的母語意識增強，且加上一九九〇年代以降的臺語文字推廣、臺語文學作品的產出，甚且包括基礎理論、研究的建構，或者相關的教育實踐等，讓臺語文學的發展更往前跨出一大步。

　　如前提及，由旅居海外的臺南子弟鄭良光發行的《臺文通訊》（1991～），與由廖瑞銘、陳明仁、陳豐惠等人在臺北創刊的《臺文 BONG 報》（1996～），在北中南都有讀書會等小型組織，各地相互串連，影響層面遍及西部臺灣諸多縣市。再加上文學運動與其他社會運動的連結，也引起不少具臺灣意識者開始關注母語議題，進而參與臺語文學的建設。尤其《臺文通訊》和《臺文 BONG 報》中，即有不少作者是未曾活躍於華語文壇，但一開始進行文學創作就是以臺語書寫的寫作者。這兩份雜誌主張的書寫文字為「漢羅合用文」，但社會大眾一般仍習慣漢字，因此，臺語文的運動也還有另一條以漢字發展的脈絡。尤其臺南自一九九〇年代開始，已有幾位學院出身或返鄉定居的作家，開始以「漢字」的傳統來傳承臺語的文化、開啟現代臺語文學的傳播與書寫運動。

　　一九九〇年代以降的臺語文學發展，臺南出身或定居臺南的作家與研究者，可說是這波文學運動的主力。除了作品的發表之外，包括臺語文學營隊、臺語文學社團及雜誌的發刊、臺語文學作品經典的建構之出版，乃至臺語文學的相關研究等，要說此期整個運動的發祥地或主要場域幾乎在臺南，實不為過。

　　臺語文學的主張逐漸強化後，各地有不少臺語相關的讀書會，而為了建構論述與實踐的空間，越來越多的臺語文學社團成立，臺語文學雜誌

也紛紛創刊。臺南方面，例如施炳華（1946～）和黃勁連（1947～）於1991年起，便與「臺南市傳統文教學會」合作而開設多場次臺語文研習班，後來再於1996年正式成立「鄉城臺語文學讀書會」，開始培養母語教師及臺語寫作者。

另外，臺灣史上第一個臺語詩社「蕃薯詩刊」的成立，即是從一九七〇年代便開始以臺語寫詩的林宗源（1935～）於1991年春天號召許多作家協力而成立，並於臺南神學院舉辦成立大會，且發行首部全臺語詩刊《蕃薯詩刊》。而後接續於臺南發刊的《菅芒花詩刊》（1997，方耀乾）、《島鄉臺語文學》（1998，陳金順）、《菅芒花臺語文學》（1999，方耀乾）等，也成為一九九〇年代以降的臺語文學作家群之重要發表園地。另外，2001年創刊的《海翁臺語文學》月刊，發行至今已超過260期，不僅持續作為臺語作家的發表園地，且該誌的關係出版社原就是以發行教科書及參考書為主力，又出版許多臺語文學作品集，能夠結合中小學臺語文學的教育與推廣，而更培養不少臺語教師作家，讓臺語文學有了更跨年齡層的作品與讀者。

2000年以後，隨著「臺灣文學體制化」，成功大學、清華大學、臺師大等國立大學或幾所私立大學相繼成立臺灣文學相關系所，臺語文學的研究與論述也累積了更多成果。關於這方面最重要的奠基者，當推自成功大學退休的施炳華教授與呂興昌教授。兩位學者將臺語現代文學的發展與研究推前至「歌仔冊」及「白話字」的時期，而廣度上則涵蓋東西方宗教文學、流行歌，以及出發自民間但由作家所創作的韻文歌謠等。兩人的研究，不僅賦予現代臺語文學有更悠久歷史的經典意涵，且結合庶民社會觀點所呈現的現代性意義，提供臺語文學的創作更多在地與底層的養料，以及具國際性的詮釋視野。

本章最後一小節也將再介紹其他幾位重要的臺南作家及其經典作品，包括戰後最早從事臺語詩寫作、成立「蕃薯詩社」的林宗源、曾擔任《蕃薯詩刊》及《海翁臺語文學》主編的黃勁連、於學院中致力推動臺語文學研究與本土語文教育的重要作家李勤岸、方耀乾，以及於在地耕耘的藍淑貞、陳金順、陳正雄、王貞文、莊柏林、鹿耳門漁夫等諸位作家及其作品。

第一節　鹽分地帶文學與臺語文學營隊

過去的文學史，較少著墨於文藝營隊對於臺灣文學的傳播與建構之影響。包括由國民黨支持、於戒嚴初期便成立的「中國青年反共救國團」，於寒暑假舉辦多項自強活動，夜宿全臺各地的救國團團部或所屬的青年活動中心，向來是青年學生最熱衷的寒暑假營隊。多數營隊以強健身心為宗旨，另也有不少文學或文藝營隊，培養許多年輕人對中國語文及藝文的興趣。

另一方面，隨著本土意識與臺灣意識的逐漸增長，日本時代的臺灣文學也慢慢被挖掘並整理出來。而 1979 年夏天開始，由羊子喬（楊順明，1951～2019）、杜文靖（1947～2010）、蕭郎（黃崇雄，1943～）、黃勁連（1947～）、吳鈞（吳明雄，1942～）等臺南在地的藝文人士，舉辦臺灣史上第一個由民間主辦的文學營隊──「鹽分地帶文藝營」。其標舉提倡純正文藝、培植創造力及鑑賞力、關懷本土文學、藝術，揭櫫鄉土情懷等宗旨；從日本時代的地方作家出發來倡導以臺灣為主體的文化活動，備受各方矚目，也凝聚一股具在地性的文學發展之能量。該營隊初期由自立報系經營，也獲得臺南北門的南鯤鯓廟廟方的支持，每年得以持續辦理；1994 年後，營隊則由吳三連臺灣史料基金會接辦。

「鹽分地帶文藝營」開辦初時，課程內容以現代文學、世界文學、文學美感、文學社會性為主，極少數的講題與「鄉土文學」、「戰後文學」

相關。而當時仍處於戒嚴時期，臺語幾乎仍被禁止使用於公開場合，且營隊進行中，教室後方總有官方安排的監聽者，講者們無法全然暢所欲言。即便如此，初期幾屆的營隊即曾安排簡上仁講授「民謠之夜」等臺灣民謠的節目，讓臺語的文藝與文化開始在營隊中傳播擴散。尤其 1987 年的解嚴之年，黃勁連講授「臺語歌詩的寫作」，可謂文藝營正式教授「臺語文學」的起點。

　　往後的臺南，開始舉辦不少臺語研習營，尤其一九九〇年代以降，民間方面陸續舉辦不少臺灣文學相關營隊。2000 年以降的臺灣文學營隊，更有著「臺語文學化」的現象，舉辦的地點也多在臺南。由於這些營隊與往後臺語文學的發展有著直接或間接的關係，以下介紹幾個重要的臺語文學營隊。

　　首先，由榮後文教基金會主辦的「南鯤鯓臺語文學營」，至 2006 年共舉辦 10 屆。而 2005 年始亦有臺灣海翁臺語文教育協會主辦「海翁臺語文學營」，至今仍繼續舉辦。兩個營隊皆於南鯤鯓舉辦，繼承 1930 年黃石輝、郭秋生提倡的「臺灣話文」思考，鼓吹「喙講父母話，手寫臺灣文」的實踐，試圖重建有尊嚴、具本土觀、世界觀的臺灣現代文學。兩營隊的課程內容皆以臺語文學為主，尤其主催者黃勁連即臺語文學作家，其課程設計及聘請的講師，皆以臺語文學的創作與研究者為主，部分內容也介紹了客家及原住民文學。

　　而源自於 1995 年「北美洲臺語文夏令營」所開辦的「世界臺語文化營」，原為旅居海外的臺灣文化人發起，主要成員即包括臺南出身的鄭良光、陳雷等人。營隊於美國休士頓、加州、夏威夷等地舉行，自 1999 年始有多屆於臺灣舉辦，場地也多選於臺南，至 2019 年已舉辦 23 屆（於洛杉磯）。營隊主旨為營造用臺語生活的空間，強化母語教育、教會白話字

教學，以臺語來認識臺灣文學、歷史、文化、族群等；而臺語文學鑑賞與寫作主題，也是後來增設的課程重點，且多屆設有「兒童營」，期待將母語文藝往年少一代扎根。

這些主要在臺南舉辦的營隊，初時多在啟蒙大眾的母語意識，但課程中的臺語文藝、文學欣賞等課程，也逐漸培養一些現當代以臺語文學寫作的作家。隨著營隊的傳播，諸多以母語寫作的作家與作品被看見，臺語文學的正當性與可行性也逐漸受到討論。不過，也因論及臺灣文學的「語言」使用，而與「正名」之後且引入後殖民理論來討論的「臺灣文學」，有著較緊張的對話關係。

無論是一九九〇年代初期的臺語文學論戰內容，都可在部分主流報章雜誌或《蕃薯詩刊》中看到對話，在臺灣文學的研究與體制化初期也發生不少論辯，這部分稍後再述。以下再介紹發刊於臺南的幾份重要的臺語文學雜誌。

第二節　臺南的臺語文學團體和刊物

除了藉營隊來傳播母語意識、臺語文字及文學，以平面刊物來提高能見度及文學品質，更是一九九〇年代以降臺語文學運動最重要的目標之一。一九九〇年代前後，臺語文刊物相繼發行，包括洪惟仁辦的《臺語文摘》月刊，將一些刊載於報章雜誌的臺語文相關文章加以摘錄，幫助讀者聚焦臺語文化相關討論，或者陳義仁牧師的白話字雙月刊《Hong-hiòng》（風向）等，則可謂基督教長老教會重新重視白話字文藝的象徵。而林宗源、黃勁連、李勤岸、林央敏（嘉義出身）等人於 1991 年組織發起的「蕃薯詩社」，成立大會即於臺南神學院舉辦，更成為戰後的臺語文學運動一座極為鮮明的里程碑。「蕃薯詩社」於同年 8 月發行臺灣第

一部以全臺語書寫的詩刊《蕃薯詩刊》，至 1996 年共出版 7 本專刊，每期皆以近 300 頁的成書發行，刊載大量的臺語文學創作與論述，且引發熱烈的迴響與討論。

1990 年前後，臺語文相關社團也陸續成立，甚至力量延伸至各大專院校，校園中亦有臺文社團創立。「學生臺灣語文促進會」便是串連各大學學生關心母語的組織，曾發行《臺語學生》、《TGB 通訊》雜誌。其他社團與刊物的關係又如：臺灣語文促進會與《臺語風》、臺灣臺語社與《掖種》、臺語文推展協會與《茄苳》、臺北臺文寫作會與《臺文 BONG 報》、菅芒花臺語文學會與《菅芒花詩刊》及《菅芒花臺語文學》、時行臺語文會與《時行臺灣文月刊》等。另外，《臺灣公論報》、《臺文通訊》、《臺灣鄉土雜誌》、《臺語世界》、《臺灣語文研究通訊》、《島鄉臺語文學》、《蓮蕉花臺文雜誌》、《TGB 通訊》、《Tâi-oân-jī》、《淡根》、《府城詩刊》、《臺灣新文學》、《海翁臺語文學》、《臺文戰線》等諸多刊物，也持續為臺語文學扎根。

這些數量可觀的臺文刊物，有些標榜純文學、有些內含語文教育的推廣、有些則運動性較強，也有綜合上述各種特色的刊物，各自扮演不同角色，但在臺語文推動上皆發揮關鍵性的影響力。尤其在一九九〇年代中末期，臺文雜誌不斷創刊與出刊，且隨著臺灣社會的開放與本土化運動的扎根，臺語文學的論述空間逐漸擴大，愈來愈多中文平面媒體也能接受臺語文學的刊登。而今，如《臺文通訊 BONG 報》、《海翁臺語文學》、《臺文戰線》等雜誌仍繼續發刊，持續努力為臺語文學教育扎根。這些力量也影響官方的文化政策，臺南市文化局於 2012 年出版臺灣第一部由官方支持的全臺語文學季刊《臺江臺語文學》，更是臺語文學的推動在體制化過程中的一大象徵。

以下簡介一九九〇年代後於臺南創立的組織與其出版刊物，尤其諸多臺南作家也參與其中。

一、「蕃薯詩社」與《蕃薯詩刊》

蕃薯詩社 1991 年於成立，擇 5 月 25 日「臺灣民主國成立紀念日」作為成立之日，且於臺南神學院舉辦創社大會，有重要的歷史意義。臺南神學院曾公開支持臺獨，文學社團的創社大會於此舉辦，除了詩社的政治主張相近，也可見臺語文學的發展與長老教會在戰後的民主運動之連結性。作為臺灣首一臺語詩社，蕃薯詩社的主要參與發起者有林宗源、林央敏、黃勁連、李勤岸等人，以及在美國的胡民祥、日本的沙卡布拉揚、加拿大的陳雷。

1991 年 8 月發行的《蕃薯詩刊》（1991～1996），主編為黃勁連，至 1996 年 6 月共出版 7 冊《蕃薯詩刊》（分別為：《鹹酸甜的世界》、《若夠故鄉的春天》、《抱著咱的夢》、《郡王牽著我的手》、《臺灣製》、《油桐花若開》及《臺灣詩神》）。詩刊創刊號中列出如下的成立宗旨：

一、本社主張用臺灣本土語言創造正統的臺灣文學。

二、本社鼓吹臺語文學、客語文學參臺灣各先住民母語文學創作。

三、本社希望現階段的臺灣文學作品會當達著下面幾個目的：

1. 創造有臺灣民族精神特色的新臺灣文學作品。

2. 關懷臺灣佮世界，建設有本土觀、世界觀的詩、散文、小說。

3. 表現社會人生、反抗惡霸、反映被壓迫者的艱苦大眾的生活心聲。

4. 提升臺語文學佮詩歌的品質。

5. 追求臺語的文字化佮文學化。[47]（粗體：引用者）

47——〈《蕃薯詩社》成立宗旨〉，林宗源等著，《蕃薯詩刊 1 鹹酸甜的世界》，臺北：台笠，1991年8月，頁3。引文中的部分文字，筆者依教育部用字調整。

此創刊宗旨，除了有臺文版，亦刊出客語版。社員除了福佬人，也包括杜潘芳格、利玉芳、黃恒秋等認同以母語寫作的客籍作家。這樣的社員陣容與書寫內容，不僅是繼承一九二〇年代至一九三〇年代的新文學運動與臺灣話文運動中，對於臺語文字的改革與以母語書寫文學的未竟目標，更宣示了詩社具組織性的運動性格，以及將主張大力向外擴展的意志與企圖。其中，林宗源的「創刊辭」〈建立有尊嚴的臺灣文學〉，即提及臺語文字化的迫切性與意義：

> 咱講臺灣文學、臺灣文化，在我想若是無完成臺語文字化，創造一套家己的文字來使用，臺灣文學佮文化就無法度生根落塗，按呢大欉開花結的果子，一定是半南洋的，半仿仔的文學佮文化。相信有尊嚴的臺灣人也一定袂滿意。[48]

林宗源認為，建立可更「生根落塗」的臺灣文學，而不再承續「半南洋」與「半仿仔」的「本土」與「在地」書寫，是為了重建臺灣人的「尊嚴」之表現，而此目標並非幾位作家從事個人書寫便能完成。因此，文末他再次呼籲：

> 希望編輯委員（按：社員）逐家會當來解決文字標準化的問題，假使若會當按咱作家來解決，按《蕃薯詩社》的同仁來完成，我想攏是逐家的功勞，千萬 m̄ 通守死訣正是我的向望。[49]

於此可見林宗源個人的決心與作為詩社代表對於未來的臺灣文學之期待，即希望對於臺灣文學的語文進行最根本的、完全的改革。雖名為「詩刊」，

48—— 林宗源，〈建立有尊嚴的臺灣文學〉，《蕃薯詩刊》創刊號，林宗源等著，《蕃薯詩刊1 鹹酸甜的世界》，頁7。此文收錄於呂興昌編《臺語文學運動論文集》時，加上副標「《蕃薯詩刊》發刊辭」。
49—— 同上，頁9。

但每期皆以近三百頁的豐富程度印刷發行，刊載大量的臺語文學創作，專欄包括「理論篇」、「詩篇」、「散文篇」、「批信篇」等。其中，每期「理論篇」都刊出多篇結合歷史、文學、民族認同等各角度出發的臺語文學的理論與實踐主張，也引發熱烈的迴響與討論，是一九九〇年代臺語文學運動初期最重要的理論建構之場域。

二、洛杉磯「臺文習作會」與《臺文通訊》

如前所述，鄭良光於北美洛杉磯成立「臺文習作會」，初時為了使大家的習作有發表園地，而創辦《臺文通訊》（1991～2012）。雜誌於1991年7月在洛杉磯創刊，發行人兼編輯為鄭良光，而後編輯工作自洛杉磯移至夏威夷又轉至多倫多，李勤岸、蘇正玄、張秀滿、葉國基等人皆擔任過總編輯。1992年聘陳豐惠任臺灣總聯絡人，是年於北美《臺灣公論報》開設「臺文通訊信箱」專欄，次年又在臺灣各地陸續成立「臺文通訊讀者聯誼會」，此聯誼會亦有如一九二〇年代的讀報社，聚集重新學習母語文字的大眾，一邊啟蒙性地閱讀刊物，一邊開拓臺語文字及文學的創作者，更陸續影響許多教師和民間工作者投入母語文學運動。

《臺文通訊》是一九九〇年代以降最早主張並全面落實以「漢羅」書寫臺語文的雜誌。雖名為「通訊」，刊物頁數不超過20頁，卻舉辦許多母語相關活動進而凝聚一股力量；且如陳明仁、陳雷等作家也發表不少與臺灣文學對話的論述文章。參與者們深知運動最終要回到臺灣島內，且應再落實臺語文學的書寫，而於1996年10月同步發行文學性較高的《臺文BONG報》；而兩份刊物則於2012年2月之後合併為《臺文通訊BONG報》。相關背景於前一章提及鄭良光時，亦有較詳細的介紹，於此省略。

三、「臺語文推展協會」與《茄苳》臺文雜誌

「臺語文推展協會」與《茄苳》（1995～1999）臺文雜誌於1995年5月創會兼創刊，初期為月刊，而後改為雙月刊及季刊；1999年4月出版第25期《茄苳》後即停刊。創辦單位是臺語文推展協會，歷任會長有林央敏、林明男、林宗源等，歷任主編有張春凰、陳金順、黃元興、林央敏等。《茄苳》的一項重要貢獻為，由會長林央敏召集「臺語文推展協會」的作家編著五冊「臺語精選文庫」，分別是《語言文化佮民族國家》、《臺語文學運動論文集》、《臺語詩一甲子》、《臺語散文一紀年》、《臺語小說精選卷》，將歷年來臺語相關文獻及文學作品做系統性的歸納整理，並提出此後的臺語文學運動目標。此協會與月刊的主要場域雖不在臺南，但其中的會長林宗源、曾任主編的陳金順，皆是出身臺南的臺語文學作家，且是理論的建構者與實踐者。

四、「菅芒花臺語文學會」與《菅芒花詩刊》、《菅芒花臺語文學》

菅芒花臺語文學會主要由「鄉城臺語文讀書會」創辦人施炳華、黃勁連發起創會，同時也於1997年6月15日創刊《菅芒花詩刊》（1997～2008）；編印單位即鄉城臺語文讀書會。「菅芒花」之名取自臺南前輩作家許丙丁詩作之題，也作為對臺語文學前輩作家的紀念，以延續前人創作的意志來成立學會。《菅芒花詩刊》提出的四點主張，包括未來的臺灣文學是臺語（母語）文學，強調臺灣文學兼容「橫的移植」與「縱的繼承」，並且包容多元創作；此或可謂延續前述《蕃薯詩刊》之實踐目標。《菅芒花詩刊》為同仁刊物，第1-3期的主編為方耀乾，第4期主編為周定邦；2000年9月30日出版革新號第1期（詩刊第5期）；至2008年共發行10期（其中革新版共6期；終期期數誤植為12期），堅

持文學的路線，大多刊登詩與詩論。總編輯為黃勁連、方耀乾；革新號的總編輯為方耀乾。

《菅芒花詩刊》刊載作品以臺語詩為主，為增刊更多文類的創作，菅芒花臺語文學會會員希望能夠刊登更多其他文類，因此再發行《菅芒花臺語文學》（1999～2001），主編為方耀乾。1999年1月1日創刊，2001年10月停刊，共發行4期。雖發行期數不多，但也可見幾篇較長篇的臺語文學運動與作品等相關的學術性論述。

五、「島鄉臺文工作室」與《島鄉臺語文學》

「島鄉臺文工作室」成立於1997年，將推動臺語文學作為其成立的唯一宗旨，負責人為陳金順，於1998年1月15日發行《島鄉臺語文學》（1998～2004）雜誌試刊號，再於1998年3月30日發行創刊號，至2004年3月30日發行第31期後停刊。該誌發行單位標示為「島鄉臺文工作室」，事實上出資、主編、發行、邀稿及潤稿等工作，多是由陳金順一人承擔。《島鄉臺語文學》是一九九〇年代末期的雜誌中，最早將「臺語文學」四字作為雜誌名的刊物，每期頁數不多，卻也是臺語作家在此期重要的發表園地。而陳金順的「島鄉臺文工作室」，更出版了陳雷、王貞文、陳金順、方耀乾等多部臺南作家的臺語文學作品集。工作室雖是陳金順一人獨力運作，卻是臺南的臺語文學作家之作品集極為重要的出版單位。

六、《海翁臺語文學》

一九九〇年代的臺語文學運動，在2000年以降開始有更大的發酵，尤其教學現場越來越重視母語教育，因此也需要更多的臺語文學讀本。《海翁臺語文學》（2001～）的出刊，便是以作為母語教師、母語學習者、

兒童的母語教學及發表的刊物為目標。雜誌於 2001 年 2 月創刊，創辦人為經營教科書出版社的蔡金安（1949～），在臺語文學營隊方面的資金方面貢獻極大。初時總編輯為黃勁連，現為李勤岸。該刊以「海翁」（鯨魚）為名，且以鯨背噴射出蕃薯葉作為圖騰，充分展現臺灣走出悲情歷史、航向自信文化的意涵。創刊號的頭頁，即刊出李勤岸詩作〈海翁宣言〉，宣示臺灣應擺脫如「蕃薯」般受苦受欺之宿命，化為有力量且穩健的「海翁」之穩健形象，堅毅地航向世界。

《海翁臺語文學》創刊初期為雙月刊，第 13 期後為使讀者更頻繁接觸臺語文學，由雙月刊改為月刊，且部分期號附 CD 提供朗讀音檔。初時先刊出戰後著名的臺語文學作品，一方面對外大量徵稿，提供臺語文寫作者的發表園地。雜誌除了有現代文學的專欄，亦有較長篇的論述性文章與翻譯作品；另也設有囡仔古、囡仔詩等兒童文學的專欄，提供母語教師啟發下一代對於母語的認識與創作之教材。至 2023 年年中已發行超過 260 期，現仍持續發刊。

七、《臺文戰線》

《臺文戰線》（2005～）季刊，是 2000 年以降最標榜提升臺語文學品質的刊物。2005 年 12 月創刊，主編有胡長松（高雄出身）、陳金順等人。其創刊宗旨為：「以釘根臺語意識及臺灣意識，溶合傳統與現代精神，發揚並提升臺灣本土原汁的文學藝術，提倡民族文學思潮，促進臺灣文藝復興，恢復臺灣人的文化自尊及主體性」，內容包括文學創作與評論。這份刊物由出身高雄的臺語小說家作家胡長松擔任主編，曾刊出宋澤萊、林央敏、胡民祥等初期臺語文學運動推手的多篇臺語文學相關史論；且雜誌每一期皆設置文學專題，是其他臺語文學刊物較少見的。雜誌中出身臺南的

陳金順、旅美的臺南作家胡民祥、學者詩人方耀乾等，都是重要參與者，且是「臺文戰線文學獎」的重要推手。而諸多後起的王永成（筆名：王羅蜜多）、陳玉珠（兒童文學作家、畫家）等臺南臺語作家，也是「臺文戰線文學獎」的得獎者。

第三節　臺語文學研究與理論建構者

　　現當代臺語文學的發展與臺灣文學學術化及體制化，亦有著極大的連動關係。1997 年，私立的真理大學率先爭取核准成立臺灣文學系，而國立學校則由位於臺南的成功大學於 2000 年先成立臺灣文學研究所，兩年後順利設立大學部與博士班，將臺灣文學的體制化向前再推進一步。由於成大臺文系是最早完整設有大學部、碩博班的臺灣文學系所，從開設的課程與對於培育未來臺文專業人材等方向，都極具指標性。尤其創系初時，除了臺灣文學史等必修課程之外，也開設臺語、客語等語學，以及民間文學、臺語文學、原住民文學等課程。

　　臺語文學運動雖發起自民間，但隨著臺文系所的成立，相關研究的奠基也影響了日後的推廣與創作。但「語言」與「文學」的論爭，在臺灣文學史發展的各階段當中總不乏相關討論。尤其臺灣文學在進入體制後的研究、教育與傳播，包括主要的語言言說環境、語文書寫及研究視野，或者文學出版品等，幾乎全面單一地走向華語化。且要因應教學與傳承時，尚未齊備的臺文書寫系統，使得在體制內推動臺語文學成為一大挑戰。即便如此，任教於成大中文系的施炳華教授，以及臺文系創系的重要推手之一、也擔任過臺文系系主任的呂興昌教授，在現當代的臺語文學陸續有創作生產之際，也開始將臺語文學的歷史發展再往前溯源，為臺語文學的「身世」找到更悠久的歷史線索。尤其臺語現代文學的民間淵源，以及來

自西方文化影響的兩個層面，在向來的臺灣文學論述中較少受到重視，但2000年前後，施炳華與呂興昌即開始各自致力於相關議題的學術奠基與教育及社會層面的推廣。

一、施炳華

臺語的現代文學，一般被認為是新文學運動以降的臺灣話文運動之後逐漸發展而來，並且多被以識字（漢字）階層的漢人文化等相關框架來認識。然而，另一條出自民間的傳統文學脈絡，「歌仔冊」（Kua-á-tsheh）有著更具普遍意義的文化象徵。而將歌仔冊的文學性從聲音及文字與文學表現，在學術圈中有系統地加以研究者，當推成大中文系退休教授施炳華。

施炳華（1946～），原出身於彰化鹿港，曾任小學、中學老師，後任職成功大學中文系至退休。原主要著眼於古典文學，對於《詩經》等中國古典詩有相當深入研究的施炳華，尤其能以臺語吟唱中國詩詞，而後則不僅再深入研究臺語的音韻，更投入臺灣早期的「歌仔冊」及南管音樂的發掘與研究，為臺語文學的現代文本、歌謠等創作，拉出一條更巨大的源流。對民間音樂有所造詣的施炳華，也曾擔任赤崁清音南管樂社負責人、振聲社前任社長，推廣臺灣的南管音樂。

施炳華當完兵後，先任教於高雄中學，期間與臺語文學作家沙卡布拉揚（鄭穗影，1942～）、研究臺語的作家陳冠學（1934～2011）認識，因此與臺語文學結緣，並有機會文學史家葉石濤（1925～2008）等人相識往來。而後進入成大任教以後，也適逢成大的臺語社成立之際，因緣際會再認識任教於化學系的林繼雄教授，林繼雄（1930～2012）乃是王育德的前後期同學，施炳華在一次偶然的機會中與他交談後，即決定投入臺

語相關研究。為此，他還曾特地前往臺北汐止向語言學家洪惟仁（1946～）請益。

　　施炳華因有聲韻學基礎，再加上鄭穗影致贈沈富進（1919～1973）編著的《彙音寶鑑》，而開始學習臺語，且開設臺語相關課程。當時學術場域並不認為臺語是一門學問，但他仍認真地在學院裡從事臺語的研究及推廣。另外，施炳華也因在彰化的南北戲曲中心發現《荔鏡記》的資料而向吳守禮請益，吳守禮更無私地將所有珍貴資料提供給他。施炳華認為，無論是南管或是歌仔冊，都是臺灣文學的重要養料，可惜主流研究並不重視。其《荔鏡記》研究，讓臺語的現代文學起源，溯自數百年前，且是已以文字清楚記下的民間文學。

　　如前所述，施炳華曾和黃勁連於1991年始與「臺南市傳統文教學會」合作，開設許多場次的臺語文研習班，後來再於1996年與董峰政、黃勁連正式成立「鄉城臺語文讀書會」，開始培養母語教師及臺語寫作者。「鄉城臺語文讀書會」的成員，包括方耀乾、周定邦、陳正雄及藍淑貞等後來活躍於臺語文壇的作家；可以說，這些作家是受到此讀書會影響，而投入母語創作並且茁壯的母語文學種子。而後施炳華也在1997年再成立「臺南市菅芒花臺語文學會」，指導藍淑貞、方耀乾等人編輯並發行《菅芒花詩刊》，開始推動臺語文學的寫作。

　　一九九〇年代以降的臺語文學運動與論爭，施炳華是其中出身自學院，但未直接參與論戰，卻投入創設文學組織來推展臺語文學與臺灣民俗音樂的重要學者，且以學術方式來論述臺語文學的正當性。例如1996年6月10日作家陳若曦於《中國時報》發表〈臺語寫作要不得〉，施炳華便於《菅芒花詩刊》發表〈臺灣話佮臺語文學〉，將臺語文字的源流、臺語文學的發展、對於「我手寫我口」的省思等主題，加以量化與質化地整

理來與反對臺語寫作的作家們對話，並且提出「臺灣話愈來愈走精，客語、原住民語有滅亡的危機；按講臺灣話夠寫臺語文學，是臺灣人的權利，也是需要提倡、學習的重要代誌」，懇切地呼籲全體臺灣人以母語寫作。

由施炳華主導的鄉城臺語文讀書會，至 2000 年以降仍繼續運作，且重刊《臺南運河奇案歌》等歌仔冊，而為使讀者更能掌握歌仔冊當中的讀音，特別在重刊版當中附註 TLPA 標音，這是當時學院派的語言學者們較推行的拼音系統。

施炳華也出版《臺語入門教材》、《行入臺語文學的花園》、《逐家來學臺語‧基礎篇》等多部臺語文字與文學推廣著作。往後，其再陸續出版《南戲戲文：陳三五娘（上下）》註釋、《荔鏡記音樂與語言之研究》、《泉腔目連救母》、《南管薪傳入門教材》、《荔鏡記匯釋》、《臺灣歌仔冊欣賞研究》、《臺灣義賊 新歌廖添丁 研究》等歌仔冊注釋及研究成果之有聲書。施炳華不斷在歌仔冊研究中投入心力，作為臺語文學的發展與理論基礎，2000 年，其獲得行政院文建會頒發「文耕獎—特殊優良地方文化人員」母語推廣獎，這是當時唯一一位推動臺語工作的受獎人。

2012 年，由臺南市文化局發刊的《臺江臺語文學》季刊，最初的總編輯即是施炳華。這部刊物即遵照 2006 年教育部頒布的標準用字來刊行，當時施炳華已退休，仍覺任重道遠地擔起此重荷，對於用字的校對、文學性的要求都極為嚴謹，為往後的臺語文學編輯立下典範。退而不休的施炳華，於 2011 年仍與蕭藤村等人組織「臺灣歌仔冊學會」，並於 2021 年創刊《歌仔冊年刊》，持續推動並培育歌仔冊的教育與研究人材。

二、呂興昌

　　臺語文學除了漢文化的傳統，另一個文字脈絡則是源自於西方的基督教所建構的教會羅馬字（白話字）。尤其以羅馬字書寫的文學，以及其傳播和落實「我手寫我口」、「言文一致」的層面，在臺灣文學體制化之前，除了前述鄭良偉、鄭良光等人的推動之外，幾乎不被認識。白話字文學自百年前至今已留下相當可觀的文學作品，而將這些作品有系統地加以研究，提出白話字這個「文字」書寫出文學的「聲音」這個重要性，並從學術的觀點來落實臺語文學的普及者，當推成大臺文系退休教授呂興昌。

　　呂興昌（1945～），出生於彰化和美，曾以別名 Baburaya 發表作品。「Babu」印記著原居於彰化平原一帶的巴布薩族（Babuza），而「raya」則取自於原居於嘉南平原一帶的西拉雅族（Siraya）；Baburaya 連結起巴布薩與西拉雅，也作為呂興昌重構自我認同的標誌。呂興昌原想考取師專卻失意落榜，於是在彰化書店工作，也因此認識作家林亨泰（1924～2023）與臺灣文學，並且接觸現代詩。而後他考進彰中，在國文老師請學生以臺語讀誦韓愈的〈師說〉時，驚訝於以臺語讀詩原來如此悅耳，此可謂其臺語文學最初的因緣。期間，他因救國團的中國詩詞函授課程而對古典詩創作產生興趣，後來考進臺大中文系；期間從學者葉嘉瑩教授習得西方文學理論，並且將這些理論應用於日後的臺灣文學及臺語文學研究相關研究。

　　大學畢業後，呂興昌進到成大任教，剛好是「鄉土文學論戰」發生期間，而張良澤也還在成大任教，因此受到一些啟蒙。而原為中國文學研究者呂興昌，對於臺灣文學，其自謂是「半路出家」，因此唯有「拍拚摃鐘」（phah-piànn kòng-tsing）。自一九八〇年代後期，呂興昌便積極從事臺灣文學的田調工作、教學與研究，曾編著《林亨泰研究資料彙編》、《水蔭萍作品集》、《許丙丁作品集》、《吳新榮選集》等多部重要的臺灣文學作家作品集。

一九九〇年代初期，臺語文學運動興起，1991 年「蕃薯詩社」於臺南神學院舉辦成立大會，呂興昌即親身到場參與，而後也曾在《蕃薯詩刊》或其他相關臺文雜誌中，發表對於臺語文學的評論。而身為天主教徒的呂興昌，事實上是從長老教會的脈絡習得白話字。呂興昌認為，白話字文獻是臺語文學中不可或缺的一部分，且史料文字中的描述都非常動人，並不亞於漢字的臺語書寫。而當時大部分的臺語文學運動者仍將書寫主力置於漢字，但呂興昌開始積極搜集白話字文獻，並將這些舊文獻加以數位化，同時進行解讀與論述。

在任教於清華大學文學所期間，呂興昌即與同所的陳萬益教授、成大歷史系林瑞明教授，共同爭取成功大學臺灣文學系於 2000 年成立。在籌備之時，呂興昌即希望臺灣文學除了有華語文學相關研究與教學，一方面也能發展臺語文學的研究，打造「多音交響、族群共榮」的可能；且能從臺南走向國際，因此初期也邀請多位日本學者前來授課。為了臺灣文學體制內外持續傳播，呂興昌在當時網路資源還不如今日便利的時代，且自身又是深度近視的狀況下，獨力架設《臺灣文學研究工作室》網站，相當前衛地試圖將臺灣文學研究與推廣全面 E 化。除了作為彙整臺灣文學相關論述與史料的線上資料庫，《臺灣文學研究工作室》是以臺語文作為基礎，後來陸續設立「原住民文學」、「客語文學」等單元，在臺灣文學體制化初期，建構了「多語」的文學空間。

2001 年，呂興昌受臺灣文學館委託執行「臺灣白話字文學蒐集整理計畫」，至 2004 年間共蒐集到 1000 多本白話字書刊，計畫並由高成炎與楊允言延續，將文獻揀選數位化，譯成漢羅並加上語音輸出，建置為「臺語文數位典藏資料庫」，提供更方便的研究搜尋及臺語文學教材。這些文獻數位化之後，受到更多學術內外的讀者認識與善加閱讀，且成為寫作範

本，影響更多人參與母語寫作與研究，顛覆了既有的「臺灣新文學運動」發展臺灣現代文學之史觀。同時期，尤其 2002 年 2 月至 2004 年 8 月，擔任成大臺文系主任期間的呂興昌，即相當積極開設母語文學課程，其將研究、教學及推廣重心都放在臺語文學，無論是歌仔冊、臺灣國風、白話字文學、臺語詩、臺灣歌謠、臺語流行歌等，都在其研究的視野。

不僅在學院中開啟臺灣文學的研究風氣，作為臺語文學研究與教學的先行者，呂興昌也以臺語發表不少詩作，尤其 2002 年，原僅碩士班的成大臺文所，順利設置大學部與博士班，其身為系主任，便以「漢羅合寫」的臺語文寫作短詩〈用文學的心 行臺灣的路——歡迎成大臺灣文學系創系的學生〉，作為迎接青年學子共同加入臺灣文藝復興潮流陣營的歡迎詞。

七 -- 月大雨 phì-phè-kiò
欠水的臺灣免 koh khok-khok-tiô
臺南府城你我做伙來相招
用世界的雨
沃跤底的塗
Hōo 欠水的臺灣文學 hùn 出青 līng-līng 的大草埔
一欉一欉的樹
是咱一篇一篇
釘根土地的意愛佮苦楚
一蕊一蕊的花
是咱一 phō 一 phō
Formosa 文藝復興的藍圖
因為　因為咱 beh
用文學的心
行臺灣的路

這是一首對臺文系新生鼓勵的短詩，卻也充分為呂興昌開拓臺灣文學及臺語文學的研究與推廣之用心與堅持，做了最適切的註腳。

第四節　府城先聲──「臺語文學大系」與重要作家作品 ──

如前所述，由林宗源等人於1991年創立「蕃薯詩社」，並發行7冊《蕃薯詩刊》，且內容也包括其他長篇作品與相關理論的建構。而鄭良偉編選的《臺語詩六家選》序文中，也強調臺語文字化，且提及黃勁連正在收集臺語文學的選集，預計分為兒童文學、詩、小說、戲劇、散文及評論文等6冊，但其後似不見由黃氏編選的選集出版。但其前後，陸續有臺語文學的個人選集出版，例如《林宗源臺語詩選》（1988）、陳明仁詩集《走找流浪的臺灣》（1992）、《流浪記事》（1995）、黃勁連詩集《偓促兮城市》（1993）、《黃勁連臺語文學選》（1995）……等。

另外，臺南縣政府以臺南縣立文化中心、臺南縣文化局作為出版單位，於1995年出版的《涂順從臺語散文集》、《李勤岸臺語詩集》、《黃勁連臺語文學選》、《胡民祥臺語文學選》、《陳雷臺語文學選》、《莊柏林臺語詩選》等6冊「南瀛臺語叢書」，此可謂臺南的臺語作家極力影響地方政府重視臺語文學的重要成果。倒是，也要等到前衛出版社於1998年出版的「臺語精選文庫」當中的《臺語詩一甲子》、《臺語散文一紀年》、《臺語小說精選卷》3冊臺語文學作品出版，以及金安出版社於2000年以降陸續出版「臺語文學大系」之15冊作家作品集，「臺語文學」才在市面上稍微流通與被看見。

可以說，在一九九〇年代中後期，眾多寫作者參與臺語文學的耕耘，在2000年前後許多作品集出版後，臺語文學才有較具體的豐碩成果。而「臺語文學大系」叢書15冊共收錄：《許丙丁臺語文學選》（2001）、《林

央敏臺語文學選》（2001）、《李勤岸臺語詩選》（2001）、《林宗源臺語詩選》（2002）、《向陽臺語詩選》（2002）、《陳明仁臺語文學選》（2002）、《黃勁連臺語文學選》（2002）、《胡民祥臺語文學選》（2002）、《陳雷臺語文學選》（2002）、《沙卡布拉揚臺語文學選》（2002）、《顏信星臺語文學選》（2002）、《林沈默臺語詩選》（2002）、《莊柏林臺語詩選》（2002）、《路寒袖臺語詩選》（2002）、《方耀乾臺語詩選》（2007）等15位作家之詩選與文學選。其中，除了許丙丁為已故作家之外，其他出身臺南的現當代臺語文學作家，幾乎占這15位作家中的一半。

旅居海外的胡民祥與陳雷，於前一章已有詳細介紹，以下簡介另外五位作品收於「臺語文學大系」的作家，以及其他幾位相當重要但作品雖未收入大系的臺南作家。

一、林宗源

如前所述，臺灣第一個臺語詩社為創立於1991年的「蕃薯詩社」，由林宗源領銜創社。林宗源是臺語文學運動的重要旗手與作家，其在臺灣文學史中的地位也應被更加重視。尤其「蕃薯詩社」的成立宗旨，以臺語及客語併刊，可謂戰後臺灣文學建構初期，甚至到今天都不斷強調的「多元」之先聲。而若從今日的臺語文學成果來看，包括各種本土語文的文學創作、文類的多元化，以及文字方面大致達到標準化，文學作品內涵業已趨向成熟等面向來說，此成立宗旨所宣示的文學目標，確實已經達成。當然，於當時以本土語言書寫文學的觀念，在教育層面上需要克服體制內外的諸多關卡與考驗，要在社會層面迅速推展且廣泛普及，事實上相當困難。

林宗源（1935～）出生於臺南市，臺南二中畢業，於1964年即加入「笠詩社」。加入詩社初時亦主要以華語寫作，但其自一九五〇年代以降即開

始嘗試以臺語寫詩。一九五〇年代以降的臺灣文壇，對於「臺語」一詞，已習慣以「方言」[50]來指涉，在主流文壇幾乎完全不重視「母語」的時期，林宗源便投入臺語詩的寫作與倡議。而後的 1979 年，林宗源即於《笠》發表〈以自己的語言、文字、創造自己的文化〉，呼籲鄉土文學作者應用自己的語言來創造文學：

> 假如以一種語言思考，而又以另一種語言表現，這種作品，必然是脫線的作品。不鄉不土的作品，不是發自內心直接產生的詩，不是自己的詩，自己的文化。（中略）沒有民族性的文化，還談什麼國際性的文化。[51]

當時林宗源仍是以華文來主張及倡議母語文學，但已更積極地以臺語來創作。當然，實驗初期的臺語文字，仍有以華語詞彙書寫臺語的訓讀現象，要將當時的作品皆視為「臺語詩」，或許還需商榷。因此，比起 1984 年出版的詩集《補破網》來說，1988 年的《林宗源臺語詩選》，作者的臺語文字使用已有較精確的斟酌。而 1990 年鄭良偉編的《臺語詩六家選》附錄中，林宗源的〈我對臺語文學的追求佮看法〉，與 1979 年的主張內涵也可見大幅變動：

> 臺灣文學毋是鄉土文學，鄉土文學有加一味政治，故意矮化臺灣文學。臺灣文學是臺灣人用臺灣人的母語寫的文學。Tī 各族建立共通的臺語佮文字的時，用臺語寫的文學也就是臺灣文學。（中略）文學有伊家己獨立的生命存在，所以臺灣文學絕對袂當算做中國文學的支流。臺灣文學就是臺灣的文學，有伊家己的天及地獨立存在。[52]

50—— 例如鍾肇政於1957年發起寫作的《文友通訊》，作為臺籍青年作家的重要交流園地，也曾以「關于臺灣方言文學之我見」為題作為討論焦點，除了鍾肇政較正面肯定方言文學有其建設的必要，其他作家多採消極看法。參考鍾肇政，《鍾肇政回憶錄（二）一文壇交遊錄》，臺北：前衛，1998年4月，頁135-136（這部分也重刊於《文學界》第5期）。

51—— 林宗源，〈以自己的語言、文字、創造自己的文化〉，《笠》，1979年。此轉載自蕭阿勤，《重構臺灣：當代民族主義的文化政治》，臺北：聯經，2012年12月，頁253-254。

52—— 林宗源，〈我對臺語文學的追求佮看法〉（原用字：我對臺語文學的追求及看法），收於鄭良偉編，《臺語詩六家選》，臺北：前衛，1990年5月，頁214。

這裡已揚棄「鄉土文學」的矮化性之名，強調了臺灣文學不是中國文學的支流，且再次呼籲臺灣人用自己的母語創作具獨立性存在的臺灣文學。翌年的1991年，林宗源創辦《蕃薯詩刊》，不僅是全臺語、客語文學的刊物，尤其刊於其中的長篇理論，也幾乎是以全臺語來實踐其主張，無論是形式與內涵，都一併展現語文改革與文學改革的正當性與可行性。

除了前一節提及的發刊辭〈建立有尊嚴的台灣文學〉之外，林宗源在《蕃薯詩刊》第2期（1992年4月）發表的〈臺語文學就是臺灣文學〉，直指「臺語文學」作為「臺灣文學」的正當性。此文開頭便提出何謂「臺灣精神」：

> 臺灣文學有人按呢講：語言無關係，文字也無關係，只要寫出有關臺灣人的生活佮經驗，有臺灣精神，就是用日文、英文、華文來寫攏是臺灣文學。若按呢我欲問個，啥物號做臺灣精神？
>
> 語言對個人來講，是佮個的族群共同生活的第一條件，失去語言就歹生活囉，著愛靠人照顧khah會當活落去。按生物體的觀點來講，個是無正常的人，所以語言佇個體人來講等於生物體的命，無語言的人會活甲若動物，若按呢猶有啥物精神通講。語言對個體人來看是按呢，對族群來想嘛是按呢。一个族群若是失去個的語言，這个族群毋是被人同化就是拄著天災滅亡。若按呢臺灣人失去個的族語，也就是個的母語予人同化，臺灣人敢猶會使講是臺灣人。變種的臺灣人，猶有啥物臺灣精神。一个放棄個家ī的母語的民族，無看重甚至認同壓迫咱欺負咱的統治者的語文，就是放棄個家ī的文化。一个接受外來政權的作家，臺灣文學抵抗的精神究竟是啥物？[53]

53—— 林宗源，〈臺語文學就是臺灣文學〉，收於林央敏等著，《蕃薯詩刊2 若夠故鄉的春天》，臺北：台笠，1992年4月，頁11。

「臺灣精神」的質問，可說是對前述「正名」討論中所謂「臺灣意識」更深刻的探究。而臺語作為臺灣文化的重要載體，在當時也仍是作為臺灣人共同溝通的聲音管道，作為這個族群還未被「同化」的憑證，甚且此憑證，於當時仍能作為有無臺灣精神的衡量基準。

解嚴前後，臺灣文學的「抵抗」精神論述中所強調的語文位置，諸如葉石濤的《臺灣文學史綱》中述及一九三〇年代的臺灣話文之構想基礎，所強調的「語文是抗日民族運動中最重要一環」[54] 等論述，在逐漸被實踐與深化之後，對於現當代的作家如何產生更積極性的反省作用？林宗源的質問，對於剛剛正名的「臺灣文學」，或者對於正在積極建構臺灣文學的本省籍作家而言，是相當尖銳的批判。為了與剛「正名」後的「臺灣文學」對話，期待本土作家以母語寫作，卻也造成諸多爭議，於是引起客籍作家李喬與客籍文學史家彭瑞金等人發表文章，反對這一波語文改革的聲浪，而此也成為一九九〇年代臺語文學論戰的重要爭議點。

回到林宗源的詩人角色來看，無論是早期的華語詩，或者後來幾乎完全以臺語的創作，包括不同年代的生活所見，抑或是橫向的社會、鄉土的文化風景之描繪、對於臺灣歷史的反省、政治的批判，乃至於身體或情色的書寫，寫作題材都相當多元，且皆有其獨到且精煉的哲思。著有詩集《力的建築》、《食品店》、《補破網》、《力的舞蹈》、《濁水溪》、《無禁忌的激情》、《林宗源臺語詩精選集》等。

林宗源寫下〈人講你是一條蕃薯〉、〈講一句罰一箍〉、〈濁水溪〉等諸多經典詩作。其中，發表於 1981 年的〈講一句罰一箍〉，以小學生

54—— 葉石濤，《臺灣文學史綱》，高雄：文學界，1987年2月，頁25-26。

之眼，簡潔、卑微、受迫、充滿疑問卻不得解答的委屈心情，對於戰後的
國語運動提出最強烈的批判。

　　講一句罰一箍
　　臺灣話真俗
　　阮老爸逐日予我幾張新臺票

　　講一句掛一擺狗牌
　　臺灣話袂咬人
　　阮先生教阮咬這个傳彼个

　　講一句徛一擺烏板
　　臺灣話袂刣人
　　阮徛烏板毋知犯啥罪

　　講一句拍一擺手心
　　台灣話有毒
　　阮的毒來佇中原的所在

　　先生　伊講廣東話為啥無拍手心
　　先生　伊講上海話也無徛烏板
　　先生　伊講四川話也無掛狗牌
　　先生　你講英語為啥無罰一箍

　　先生提起竹仔枝拍破阮的心

此詩以小學生的視角，將無辜的受苦與受欺，淺白而簡潔地自我辯論一番
後，再天真地向執行國語政策且施以暴力的老師──「先生」提出質疑，

最後卻又是被一番體罰地封住疑問。詩作一方面對「國語」的暴力性與殘忍提出最大的控訴，一方面也藉由詩中的一番辯證，而突顯「我」（臺灣人）的人格之「存在」，如何在開始要萌芽茁壯之時，就因為國語政策而被詆毀與抹殺。

此外，1994 年第一屆南鯤鯓臺語文學營的主辦人，即為林宗源。林宗源於 1994 年獲榮後臺灣詩獎，於 2004 年再獲鹽分地帶文藝營臺灣文學貢獻獎。2021 年，其獲得真理大學頒發牛津文學獎，以及臺南市政府頒發的臺南市卓越市民獎。無論如何，林宗源的「臺語文學論」及其寫作與運動實踐，在一九九〇年代以降的臺語文學推動之際，相當具影響力。

二、黃勁連

黃勁連（1946～），原名黃進蓮，出生於臺南佳里。因父親晚報戶口，身分證上的生年為 1947 年。黃勁連少年時期便喜愛寫詩，1960 年的處女作〈蟬聲〉發表於《南縣青年》；就讀嘉義師院時，便主編雷神班刊，而後北上就讀文化大學中文系文藝組。早期大量發表華語作品於《亞洲文學》、《野風》、《嘉義青年》、《笠》、《新地》等刊物。大學期間也加入「華岡詩社」，後與王健壯、羊子喬等人創設「主流詩社」，出版《主流詩刊》；1971 年出版第一本詩集《蓮花落》。退伍後創辦大漢出版社，輾轉幾年後結束工作，於 1979 年回到故鄉佳里，並與杜文靖、羊子喬等人策劃「第一屆鹽分地帶文藝營」，推廣臺灣文史，此營隊為臺灣歷史最悠久的暑期文藝營隊。一九八〇年代的黃勁連，亦曾擔任《臺灣文藝》總編輯，多種華文作品入選年度選集，且曾獲全國優秀青年詩人獎。

1985 年，黃勁連開始以臺語創作，此後即以臺語文學推展、創作、研究作為畢生職志。1991 年，他出版第一本臺語歌詩集《雉雞若啼》，同年與林宗源、林央敏等人創立「蕃薯詩社」，並主編發行《蕃薯詩刊》。

隨即編著多部臺語著作，包括詩集《雄雞若啼》、《南風稻香》、《蕃薯兮歌》，散文集《潭仔垸手記》、《黃勁連臺語文學選》、《黃勁連自選集》，編著《台譯昔時賢文》、《臺灣國風》、《臺灣囡仔歌一百首》等多種有聲臺語教育叢書。

　　一九九〇年代以降的臺語文學運動中，多數的作家以臺語詩作為母語實踐的主力，黃勁連則是少數極早投入臺語散文寫作者。1982 年其已出版過《潭仔垸札記》華文散文集，1989 年再加上兩篇新散文，並於台笠出版社重新出版。就實踐面而言，黃勁連的華語詩、散文成就都相當高。而全臺語寫作的散文集《潭仔垸手記》出版於 1996 年，除陳雷、林央敏、呂興昌序、作者自序外，全書共 23 篇臺語散文，並附錄五篇作者對於臺語文字、臺語文學的觀點。「潭仔垸」即作者故鄉佳里鎮一隅，首度集結以「鄉音」散文方式記錄其回歸鄉里的心情雜思。《潭仔垸手記》一書中的〈我是佳里儂（按：人）〉原於 1979 年發表在《自立晚報》，1985 年以臺文改寫紀念郭水潭，其餘作品皆為一九九〇年代後寫成。

　　散文集有多篇值得細細品味的佳作，例如〈潭仔垸手記五帖〉抒發回鄉後的親切與舒適感，以及貼近土地的自在與踏實；〈狗鯊溜仔〉心疼臺語被矮化而失落的悲哀，並強調母語的文雅、富音樂性、活潑自然的美感；〈竹抱跤啉酒〉呈現作者對醇酒的熱愛，也懷念在潭仔垸「竹抱跤」喝酒的痛快；〈彙音寶鑑〉一文以沈富進（1913 ～ 1973）於一九五〇年代編著出版的臺語字典《彙音寶鑑》作為題名，推崇此字典將臺語的傳統性與科學性的絕美結合；而這本書也是臺語現代文學發展過程中，許多作家為了斟酌用字而參考的字典。〈放膽文章則會贏〉讚美年輕作家凌煙，以《失聲畫眉》獲自立報系百萬小說大獎，來鼓勵人們以母語創作應當「放膽」而行；〈回鄉偶書〉、〈語言的傷害〉、〈聲音的傷害〉、〈內心的努力 --

數念吳新榮先生〉等作，從檢討四周環境文化的墮落，期許自己更加勇敢前進，為打造純淨、樸質的社會理想而努力。而從散文集的內容，也可見作家投入鹽份地帶文藝營及為故鄉及鄉音寫作的熱情。

　　黃勁連的臺語詩作也大量汲取民間文化與素材，且其相當重視與歌謠連結的節奏感，讓其詩作含帶著強烈的音樂性。而更多的作品則是描繪鄉土、表現對失落的母語之疼惜，另也有不少政治與歷史批判的作品。尤其黃勁連有不少作品詩風豪放且可譜曲入歌，也因此較少人注意到其細膩溫柔的詩心。1992 年 12 月 20 日發表於《自立晚報》副刊的長詩〈心悶——予無緣的小妹雲珠〉（亦收錄於《菅芒花詩刊》2，1997 年 12 月），以敘事詩的形式，緩緩表現作者為人兄長的慈愛與思念。例如其中幾段：

　　你的囡仔時
　　毋知哀悲是啥物
　　古錐伶俐的你
　　不時笑微微
　　通人疼你呵咾你

　　阿叔定定抱你
　　去店仔前行來行去
　　我若對學校放學轉來
　　時常挽一蕊籃仔花予你

　　然後 彼隻阿爸做的椅轎
　　 你去大圳頭溪仔邊
　　看燕仔飛來飛去
　　有當時　蹊過

大堀邊蓮霧樹跤
去佳里興的菜市
菜市仔大細聲
看人佇遐咧賣菜賣魚
咱的佳里興是下晡市
……
三十外冬前的點點
滴滴　你敢會記

三十外冬前一个
淒涼的暗暝
一粒流星爍一下
跛對西爿去
你雄雄致著白喉的病
一命嗚呼來離開世間
離開潭仔墘
離開阿爸阿母
阿兄佮小弟
去毋知名的海角天邊

小小的年紀
你的過身
予我樂暢的細漢時
帶來了烏暗的色緻

整首詩細細刻畫妹妹幼時的天真可愛，以及兒時記憶中的鄉村，強化作者
在妹妹過世三十多年後仍不時思念之情，也有為早逝的妹妹留下簡史的意

義。詩的前兩段與最末段皆強調「思念是真堅強的物」，讓這篇結合臺語韻腳表現的新時代「祭妹文」，更引人心疼與共鳴。

黃勁連不僅寫作臺語詩及散文，也常以嘹亮歌聲吟唱臺語詩歌，更以業務行銷經驗來推廣臺語文學，為臺語文學運動中在「推展」上不遺餘力的要角。曾長期擔任金安文教機構的臺語文顧問，並主編其出版的《海翁臺語文學》雜誌，將雜誌導向作為中小學母語教學的重要教材，對於母語教育的現場有極大影響。

三、李勤岸

李勤岸（1951～），出生於臺南新化。原名李進發，曾以筆名慕隱、牧尹發表作品，1982 年正式將原為筆名的李勤岸變更成為本名。李勤岸是人權運動者，也是臺語文學重要的作家、運動家及研究者。其於 1972年開始寫作，以筆名「慕隱」在人間副刊發表第一篇散文，1974 年加入後浪詩社並發表第一首詩作，1978 年出版第一本詩集《黑臉》，曾任「詩人季刊」社長。1983 年加入春風詩社，出版詩集《唯情是岸》，並開始參與政治詩運動。李勤岸早期的華文詩作既寫實亦浪漫，對政治、社會及教育等方面都有極深刻的批判和關懷，文字淺顯富諷喻性。

大學時期主修英語的李勤岸，先後任教於中山大學、臺南神學院、東華大學、臺灣師範大學等校。任職中山大學期間的 1987 年 6 月，李勤岸因受政治迫害而遭校方解聘，同年，其發起成立臺灣第一個教師組織「教師人權促進會」。適逢解嚴後不久，李勤岸寫了一首華語詩作〈解嚴以後〉，並在教權會舉辦的演講會朗讀。但朗讀時發現，要在廣大的群眾面前，很難將華語寫的詩好好地以臺語朗讀，因此萌生以臺語寫詩的意識。

1989 年起，李勤岸改以臺語寫作，且再受到旅美的語言學家鄭良偉之啟蒙，其關注的課題與實踐都面向了母語詩創作與教育。也因看到不少前輩在臺語文字化的工作上各自努力，卻造成各持己見而難以整合能夠標準化並加以普及的臺語文字系統，於是李勤岸於中年時，前往美國夏威夷大學攻讀語言學博士，希望有機會更深入推動母語教育與文學運動。期間也曾主編美國《臺灣公論報》社論，並推動臺語文社論，亦曾擔任《臺文通訊》主編，並參與發起「蕃薯詩社」。李勤岸於 2000 年以後回臺，也參與組織「臺灣新本土社」發行《臺灣 e 文藝》，於臺灣師範大學臺文所任教後再推動臺文系的成立，持續於學院中推動母語文學的研究與教學。

　　李勤岸出版過《一等國民三字經》、臺語詩集《新臺灣人三部曲》、《母語的心靈雞湯》、《咱攏是罪人》、《大人囡仔詩》、《食老才知ê代誌》及散文集《新遊牧民族》、《海翁出帆》、《哈佛臺語筆記》、《青春寫真》等多部詩作與散文集。其中的《哈佛臺語筆記》，即是其於美國哈佛大學東亞語言文明系教授臺語課程期間，仿梭羅的風格所寫下的作品。另外也陸續臺譯「諾貝爾文學獎母語詩選」於《臺灣教會公報》、《海翁臺語文學》等報章雜誌連載；而後更投注心力將諸多白話字文學作品重新整理並註釋出版，包括《出死線》、《俺娘的目屎》、《疼你贏過通世間》、《十項管見》等多部，提供研究者與現當代讀者從白話字文學的角度，重新認識臺灣現代文學的發展。

　　在從事臺語文學運動後，李勤岸更積極在語言政策及語言政治上的論述用心，創作則以寫實手法描摩現代社會生活，其臺語詩風格平實而貼近土地，多樣但不刻意雕琢文句。其留下諸多經典詩作，其中發表於《海翁臺語文學》創刊號上的〈海翁宣言〉，亦曾被譜曲傳唱：

阮無愛 koh 新婦仔形
㾪㾪 khiā tī hia
講家己是一條蕃藷
Hōo 豬食 koh hōo 人嫌
從今以後阮 beh 身軀掠坦橫
做一隻穩穩在在 ê 海翁
背向悲情 ê 烏水溝
面向開闊 ê 太平洋

阮小可曲痀 ê 形狀
M̄ 是 teh 揹五千年 ê 包袱
是阮 beh kā 家己彎做
希望飽滿 ê 弓
隨時 beh 射出歡喜 ê 泉水
隨時 beh 泅向自由 ê 海洋

當阮 ê 生存 hōo 人威脅
阮會用阮堅實 ê 身軀
Piann 向海岸
用阮 ê 性命
見證阮 ê 存在

一九九〇年代中後期，臺灣研究走向海洋史觀，文學方面也從原有的受殖、悲情的蕃藷論述，漸漸走向信心無懼的「鯨魚」論述。此詩宣告脫離中國五千年史觀、航向世界史觀的決心，展現作為新臺灣、新臺灣人的自信，以及不再畏懼強權的意志。而這首詩也是李勤岸一向貫徹的文學思想，即為了建構現代化新國家的好「國民」，所不斷實踐的「詩教育」寫作。

2004年3月，李勤岸發起成立「世界臺灣母語聯盟」並擔任總召集人。且在臺語拼音系統長久以來爭論不休之際，其於2005年兼任教育部國語會委員與國立編譯館審定委員期間，協助多方協調，總算促成臺語拼音系統的整合，終於教育部在2006年公告「臺灣閩南語羅馬拼音方案」。因此，李勤岸被譽作「為臺灣催生國字」的重要人物，2022年獲教育部頒發「本土語言傑出貢獻獎」。

四、方耀乾

　　方耀乾（1958～），出生於臺南安定，是從英語教學者身分轉而投入臺語文學創作、研究與推廣的學者作家。雖是出身鄉下地方，喜歡讀書的兄長買了不少書，也影響方耀乾的閱讀習慣，其於國中時期就相當喜歡文學，且已讀了不少反共文學時期的長篇小說。而高中時期因為希望更了解世界而選擇大學就讀外文系，後也長期於外文系所任教。一九九〇年代初期，仍是英語教師的方耀乾，初時因緣際會接觸臺語文，並參與施炳華、黃勁連組成的「鄉城臺語文讀書會」，自此開始投入臺語文學的教學與推廣。其在臺南女子技術學院教授英語課程期間，卻也開設「現代文學」、「臺語文學」課程，是技職體系學校中首位開設臺語文學課程的教師。

　　方耀乾也是「鄉城臺語文讀書會」的重要成員，成員們於1997年再成立「臺南市菅芒花台語文學會」，並發行《菅芒花詩刊》、《菅芒花臺語文學》，而方耀乾都曾擔任主編，尤其致力於臺語詩的實踐。爾後方耀乾也參與《臺文戰線》、《臺灣e文藝》多個臺語文社團，以及擔任多個臺語文雜誌之編務，在臺灣母語的復振工作與文學創作的推動極為用心。為了更深入研究臺語文學、書寫臺語文學史，且希望在體制內推動臺語文學教育與推廣工作，方耀乾於2004年考取成功大學臺灣文學系博士班，

並於 2005 年自費出版《臺語文學的起源與發展》。過去還未有臺語文學史的相關論著，此書含年表及參考文獻雖僅 59 頁，但已將臺語文學的發展時間溯自荷西時期，提供了臺語文學至今四百多年的發展脈絡與梗概。而後，其再以此書為基礎，進一步大篇幅地增補改寫，在 2012 年出版《臺語文學史暨書目彙編》。這部著作更將臺語文學的發展時間往前拉到口傳文學時期，而荷西以降的發展、明清以來的漢文學之底蘊，以及日本時代的新文學與白話字文學當中重要的論述與作品，都更詳細地就時代背景與社會變遷來闡述當時代臺語文學的發展與受限。著作後半部也就戰後的臺語文學發展，尤其是針對較重要的幾位作家及其作品加以詳細分析，為各自的文學貢獻提出定位。

2014 年與 2017 年，方耀乾接續將其對於當代臺灣文學應如何看待臺語文學的觀點所嘗試提出的理論《對邊緣到多元中心：臺語文學 ê 主體建構》（由 2008 年的博論改寫）、《臺灣母語文學——少數文學史書寫理論》加以出版。尤其臺語文學在現當代臺灣文學生態下能見度低、受到邊緣化的現實狀況中，如何尋求主體發聲位置，以及在面對臺灣文學論述中強調的多元文化的共榮目標時，無法實現最初始的臺語文學運動所追求的主流位置之下，方耀乾跳脫原來的臺語文學敘事框架，來與當代臺灣文學場域對話。他提出了「多元脈絡理論」，嘗試建立臺語文學的主體性，並扭轉臺灣文學史的一元書寫，使臺灣各族以各自的語文書寫，成為互為主體的多元中心書寫。

方耀乾也出版多部臺語詩集，例如《台窩灣擺擺 Tayouan Paipai》、《我腳踏的所在就是臺灣：世界旅行詩》、《臺灣隨想曲》等詩集中，表達許多對土地的愛，以及平埔族的認同。而在諸多動人詩作當中，這首收錄在

同名詩集的〈阮阿母是太空人〉，寫出其對母親的懷念與不捨，受到諸多
讀者共鳴。

　　一九六九年七月二十日
　　阿姆斯壯
　　穿太空衫
　　揹氧氣筒
　　行佇月娘頂面
　　講出　驚天動地的話：
　　「雖然是我的一小步
　　毋過，是人類的一大步」

　　自彼陣開始，我著暗暗
　　種一个夢
　　向望做一个太空人

　　二十八冬後
　　我的夢　無發穎　無釘根
　　阮阿母煞變成太空人
　　嘛穿太空衫
　　嘛揹氧氣筒
　　月娘變做病房
　　伊一小步嘛無半步
　　免講是一大步

　　這陣我閣再
　　種一个夢
　　向望阮阿母莫做太空人

詩句未有太多華麗修飾，平易近人猶如與母親之間寧靜的對話，卻也呼應作者年輕時期希望更了解世界，而選擇外文系就讀的世界觀之期待。而在仰望世界的同時，也近看並經歷著生活的現實，尤其是摯愛卻已年邁的母親被諸多醫療機器束縛於病床上，竟宛如小時候憧憬的太空人一般，此以同一物件比喻夢想與現實這兩種日常的極端，除了其對比性更強化悲傷，也表現出許多人受困於現實生活而僅能放棄築夢的無奈，而能引來讀者更多層次的共鳴。

在臺語文字與文學逐漸受到官方重視之後，任職臺中教育大學臺灣語文學系的方耀乾，曾擔任教育部十二年國民基本教育語文領域（閩南語文、客語文、原住民族語文）課程綱要研修小組召集人、教育部國民小學師資培用聯盟本土教育學習領域教學中心主任、國家語言發展法之研究與規劃主持人、教育部本土教育委員會委員兼分組召集人、教育部本國語言推動委員會委員等，持續擔任體制內的語文教育改革工作之要角。

五、藍淑貞

臺語文學運動初期的參與者與創作者中，女性比例並不高。但前述的「鄉城臺語文讀書會」成立後，培育不少臺語文的教師種子，其中身為教師的藍淑貞，除了在教學現場持續推廣臺語及文學，也是此期間少數交出大量創作成果的女性作家。

藍淑貞（1946～），出生於屏東里港，臺南師範普師科畢業，高師大國文系畢業後，亦曾繼續於系上的研究所進修；自 1952 年後即定居臺南市。曾於臺南的國小、高中職學校任教至退休。自 1996 年參與「鄉城臺語文讀書會」後，藍淑貞便積極投入臺語文學的推廣與創作。

藍淑貞著有臺語詩集《思念》、《臺灣圓仔花》、《走揣臺灣的記持》、《臺灣花間集》、《網內夢外》；臺語散文集《心情的故事》；現代臺灣囡仔歌詩集《愛食鬼》、《雷公伯也》；其他另有《最新臺灣三字經》、《臺語說唱藝術》、《臺灣囡仔歌的教學佮創作》、《臺語演講得勝秘訣》等多部臺語相關著作。無論是對於親情、鄉土的書寫，或者社會事件的刻劃，多能以女性溫柔婉約的細膩加以呈現。

　　藍淑貞也相當擅長寫作長篇的「七字仔」詩歌。收錄於奇異果出版社的高中臺語課本之「七字仔」作品〈八八水災歌〉，以敘事史詩式娓娓道來 2009 年 8 月 7 日莫拉克颱風如何重挫臺灣南部，尤其是位於高雄山區的小林村，一個仍保有平埔族部落傳統的村莊。

二〇〇九彼一年，八月初八彼一暝，
北部風颱無代誌，南部崩山閣淹水。

兩暝兩日大雨來，林邊代先傳災害，
海水倒灌到厝內，街路攏是漉糊糜。

沿海地區的漁塭，全部攏予大水吞，
魚仔蝦仔四界趖，奔流到海傳囝孫。

災情陸續傳出來，那瑪夏鄉大聲哀，
哭聲衝去到雲內，出外子弟來救災。
風景山區齊破壞，無論茂林抑寶來，
田園變色苦哀哀，村民欲哭無目屎。

六龜鄉村消息鎖，路斷橋損變孤島，
手機電話攏聽無，欲報新聞無線索。

災情消息無明朗，記者認真去採訪，
漉糊糜路車袂通，只靠雙跤咧走傱。

惡水滾滾天上來，新開橋斷變天涯，
牽索過溪水路害，掛得流籠載物來。

九死一生手牽手，救難人員無退勾，
菩薩心腸伊來修，救出眾生無所求。

不老溫泉悽慘代，三十二人活活埋，
干焦一人挖出來，世間上慘死毋知。

甲仙小林可憐代，全村滅頂無人知，
一半村民出外界，留得性命天安排。
……

這擺水災的損失，災情超過九二一，
人命死傷土地必，上帝看甲目屎滴。

臺灣好山閣好水，對待土地愛慈悲，
咱愛珍惜愛保持，傳予囝孫萬萬年。

開頭點出因颱風發生的災害之時間與南北差異，接著是海水倒灌、養殖魚塭崩毀，以及街村整個被淹沒的慘狀持續發生。許多部落求援，救助力量也陸續進駐，但天災與人為環境破壞所帶來的禍害一發不可收拾，慘絕人寰的哀號與憂傷蔓延。作者感同身受般地以長篇七字仔的敘事書寫，彷彿代替欲哭無淚的災民向神明泣訴求憐，段落分明而力道十足地代替災民道出其哀鳴與無助。而末段則是溫柔地呼籲臺灣人們應學會珍惜土地，不為私利而濫墾濫伐，才能長保臺灣的好山好水。這不僅是一首紀錄當代災難的長詩，更是一篇極具人文關懷的環境書寫。

以七字四句形式並逐句押韻表現的「七字仔」，常被認為是古早的民間文學創作，但其兼具詩歌吟誦與文詞警世的作用，因此在不同時代都有長短不一、與時代對話或諷喻時事的勸世作品出現。且因用字淺白，韻律分明，便於吟誦，在傳播方面有其獨特的便利性。但在臺語逐漸不再於社會普遍使用時，如藍淑貞這樣的能擅用文詞與字韻來創作七字仔的作家，更顯珍貴。

　　藍淑貞曾任臺南市教育局本土教育推行委員、臺南市文化局文學推行委員、臺南市紅樹林臺語推展協會會長；臺南市菅芒花臺語文學會理事長。亦曾獲南師傑出校友獎、南瀛現代詩創作獎首獎、教育部推展母語傑出個人貢獻獎等多項。

六、陳金順

　　陳金順（1966～），生於桃園，幼時隨家人四處遷徙，國中時期才定居龜山。高中畢業後考取臺灣藝術專科學校（現今的臺藝大）的廣電科（三年制），剛好在快畢業時的 1994 年，偶然聽到地下電臺「臺灣國」節目，因此臺灣意識受到啟蒙，畢業後也前往電臺工作，並因緣際會認識另一位電臺主持人李孟峰而接觸到臺語文，也因其引介而認識林央敏，並參與其創辦的「臺語文推展協會」。可以說，陳金順正是一九九〇年代初期臺語文學運動興起時，最早受到影響並極力投入臺文工作的年輕一輩。

　　1995 年 4 月，陳金順即寫出首篇臺語散文〈雙面人〉，而第一首臺語詩〈一粒種籽〉發表於「臺語文推展協會」的機關刊物《茄苳》創刊號。此後，陳金順便將建構臺語文學作為志業，積極寫作及發表，並參加文學營隊與文學獎的徵文。除了曾擔任國小母語教師，陳金順更於中年之時搬至臺語文學運動的主要場域臺南定居，且考入臺南大學國語文學系臺語文

組碩士班，以胡民祥的文學作為研究對象完成碩論並取得學位。另外，其成立「島鄉臺語文學工作室」，創辦《島鄉臺語文學》雜誌，為的就是建構一個讓臺語文學作家能夠安穩書寫的發表及出版園地。

《島鄉臺語文學》從 1998 年至 2004 年刊行 6 年，於第 31 期停刊，刊載臺語現代詩、散文、小說、翻譯等多種文類。作為第一份將雜誌名稱冠上「臺語文學」的刊物，即可知陳金順臺語現代文學的發展亟欲付諸實踐。其在發刊辭〈做伙行長路—鼓吹臺語文學〉開頭，如此闡述自己的心境：

> 一世人堅心做一項有意義 ê 代誌，毋管環境偌呢，半路是毋是會起風颱？
>
> 攏袂當來阻礙，這需要偌大 ê 氣慨，才有法度行完這條長路，我毋知；
>
> 我干焦會曉戇戇仔行，行一步算一步，嘛毋知家己會當行偌久？行偌遠？

這段話完全展現其投入運動的意志，以及他純粹、純真的運動熱情。但事實上，收入微薄的陳金順過著相當簡樸的生活，以最低物慾及最大目標，「獨力」扛起雜誌編輯與工作室相關工作。

收錄於詩集《春日地圖》中的詩作，作者將其分為四大輯類：平埔篇、地誌篇、電影篇、世間篇。其中的第一輯「平埔篇」收錄 7 首平埔族相關的詩作，也可謂詩人以作品宣示平埔族認同的象徵。第一首〈Siraya 之歌〉，紀念尪姨李仁記：

> 花開十八度，黃艷的斑芝
> 溫暖春天的色緻
> 浪漫的 Irina 參 Alid 相拍電
> 此去，一生的喜怒哀樂
> 攏交予 Siraya 的祖靈
> 鋪排

佇 Alid 佮吉貝耍庄民
之間
牽一條無形的紅絲線
平素時仔眾人的身苦病疼
攏交予 Siraya 的祖靈
鋪排

霧一嚓米酒
哺一口 Abiki
牽曲的舞步佇暗暝子時
團圓夜祭，吉貝耍的天星
月娘出招 Vere
放伴吼海

認份的尪姨巡頭看尾
佇服侍 Alid 的公廨
佇 Sasat、Ruha、Turu……
鹿仔佮山豬消失的獵場
佇 42 擺春夏秋冬的輪迴裡
佇永遠的故鄉
Siraya

被阿立祖揀選作為「尪姨」者，可謂未完全消失的西拉雅族象徵。詩中的尪姨，一輩子的生命都得交給西拉雅祖靈，其非常認分盡責地服侍公廨所有的一切，雖有束縛，卻也是原鄉最終的守護。此詩大量置入西拉雅語的詞彙：Irina（少女）、Alid（阿立祖、阿立母）、Siraya（西拉雅）、Abiki（檳

榔）、Vere（風）、Sasat（數字 1）、Ruha（數字 2）、Turu（數字 3）等，彷彿也藉此重新習得的詞彙，也回顧失落的語言，表現出詩人對於母系血脈的追尋與認同。

陳金順曾擔任《茄苳》雜誌主編、《臺文戰線》總編輯，隨後也曾編輯《臺語詩新人選》、《2006 臺語文學選》等，出版過臺語詩集《島鄉詩情》、《思念飛過嘉南平原》、《一欉文學樹》、《春日地圖》；臺語散文集《賴和價值一千箍》；臺語小說集《Formosa 時空演義》；臺語文學評論集《夜空恬靜一流星》等多部著作。現仍擔任臺文戰線社務委員、湯德章紀念館志工、島鄉臺文工作室、骨力冊房負責人，也曾參與過臺語廣播劇的編劇及戲劇的演出。其臺語詩作亦曾被譜曲，臺語小說亦曾被改編為布袋戲。

七、陳正雄

陳正雄（1962～），生於臺南柳營。臺灣師範大學公訓系畢業，曾任教於臺南一中，主要教授公民科，自 2012 年退休。陳正雄亦是「鄉城臺語文讀書會」的成員，於 1998 年開始以臺語寫詩，而後即投入臺語文教學與臺語文學創作。曾任菅芒花臺語文學會理事、《菅芒花臺語文學》副主編、《臺江臺語文學》總編輯；現擔任臺文筆會理事長。

陳正雄的臺語小說多有兒時至少年時期的故事，也相當擅長以地方政治作為小說題材，以幽默滑稽的風格書寫鄉里政治的種種人性與陰暗面。而尤其書寫鄉野故事時，多以自身經歷下筆，作品常可見「魔神仔」若隱若現，看似迷信式的書寫，卻是最寫實又具魔幻色彩的底層文化之表現。例如收錄於《灶雞仔》中的〈命〉，是獲得 2017 年臺灣文學獎臺語小說創作金典獎得獎作品。

小說〈命〉中的「我」，回憶著小時候一段似被魔神仔牽走的往事，而那位魔神仔卻是「我」兒時最好的朋友阿明，一個被「土公仔」（thóo-kong-á，撿骨師）收養的棄嬰。故事不僅還原了一九七〇年代臺南鄉間的荒涼面貌、社會底層「土公仔」的各種「技藝」與生命觀，也觸及鄉間教師對於弱勢孩童的歧視。敘事風格與陳明仁、陳雷等作家相近，看似淺白，卻自然呈現出這一代人的敘事模式，成為作品獨特的美感表現。作品當中，諸如土公仔與屍首共眠的場景，或者應是源自平埔文化的「番仔姑婆」之收驚咒語，以及「我」在病癒時，口袋裡確實有著阿明在「那個世界」裡送給他的蟋蟀「烏將」展翅飛出等，諸多自然地再現鄉野現實的魔幻筆觸，成就了「命」裡的「輕」之「重量」。

　　陳正雄的詩作題材也相當多元，描繪舊時的故鄉、體現生命的細緻變化、凝視病痛與死亡課題，更擅長與記憶中的事物對話。例如這首描寫中老年人常有的心血管疾病〈高血壓〉：

原本掠準
少年時陣一身ê熱情
已經予政治ê喙瀾輪流ê欺騙
潑甲澹糊糊矣
滿腹ê心血
嘛予虛偽ê人情再三刺傷
流甲焦碴碴矣
世間猶有啥物
值得感動

想袂到
年近半百
竟然為著追求一首迷人ê詩
規暝起落無眠

害阮長久以來冷淡低調 ê 血壓
tshìng 甲
遐爾懸

這是一首因身體與生命都歷盡歲月流轉才磨鍊出的好詩。看似描寫邁入老年、經歷慢性病的苦悶之作，但其精簡而深刻地將疾病、政治、身體與心靈變化，與詩結合為一。復發的病痛因有如年少時的熱情再燃，使得經歷的病痛本身即是詩的完成，讓所經驗的痛楚轉化為形而上的藝術追尋。

陳正雄曾獲鹽分地帶文學獎、府城文學獎、南瀛文學獎、海翁臺語文學獎、教育部文藝創作獎、臺南文學獎、打狗鳳邑文學獎等多項，是文學獎的常勝軍。曾出版臺語詩集《故鄉的歌》、《風中的菅芒》、《失眠集》、《戀愛府城》、《白髮記》、《眠夢南瀛》等多部；2021 年出版首部臺語小說集《灶雞仔》。

八、王貞文

臺語文學的女性作者相對而言的確稀少，特別是小說的寫作者。王貞文（1965～2017）的《天使》與清文（1959～，本名朱素枝，高雄出身）的《虱目仔 ê 滋味》，皆於 2006 年 6 月出版，同為臺灣首部公開出版的女性臺語短篇小說集。

王貞文，出生於臺北淡水。3 歲後與父母親搬至嘉義，成長於基督教家庭。高中時代即參與編輯《嘉女青年》，就讀東海大學歷史系期間也參與基督教雜誌《葡萄園》的編輯，1990 年取得臺南神學院神學系道學碩士。曾以偉海、吳理真、綠鷹、綠茵等筆名發表文章，出版過《海邊的粿葉樹》、《求道手記》、《橋上來回》、《控訴與紀念》等 7 部華語作品集；曾前往德國畢勒伯特利神學院（Kirchliche Hochschule Bethel）就讀博士班；長期研究教會史與女性神學，也積極參與亞洲婦女資源中心（AWRC）

的相關工作。王貞文於德國留學期間，閱讀到於洛杉磯發行的《臺文通訊》雜誌，再加上網路討論平臺興起，受到宋澤萊等臺語文學推動者的鼓勵，而自 1994 年開始以臺語創作小說與現代詩。2005 年正式成為臺灣基督長老教會牧師，2006 年出版臺語小說集《天使》，2015 年出版臺語詩集《檸檬蜜茶》；2017 年因癌離世。

由於出身長老教會，且研究專長為歷史，又是經歷野百合運動的世代，王貞文對於政治社會與土地人文有著高度的關懷。臺語的書寫意識受到啟蒙之後，其於 1994 年 6 月創作的第一首臺語詩〈烏暗暝的玫瑰〉，寫的就是反抗國民黨、爭取言論自由而自焚的鄭南榕：

無色也無形體，
烏暗暝的玫瑰，
孤單所有是清芳。

無光就無暗影，
烏暗暝的玫瑰，
啥人知影妳存在？

一蕊看袂著的花，
佇無月無星的暗暝，
用伊所有的氣力，
講起伊的眠夢：

當日頭的光贏過烏暗，
當烏暗暝的勢力消無，
當人的目睭大大展開，
當光佮影閣再顯分明，
人愛用全知全覺，

知影芳味以外，

這花美麗燦爛無通比。

1989 年 4 月 7 日，為爭取言論自由與追求臺灣獨立的鄭南榕，因不願受警方強制逮捕，而於自由時代雜誌社的編輯室內自焚。王貞文以黑暗中如火焰般持續發光的玫瑰，彰顯鄭南榕自焚的意義。在光明與黑暗的對峙之時，燃燒的玫瑰與其孤芳，縱然於威權眼中如有刺的存在，在當時散發的光明也仍微弱，卻也能點燃更多良知良覺，來從事往後更全面的改革。

因受《聖詩》編者駱維道牧師的邀請，王貞文創作了〈主基督，祢的擔阮著擔〉（2005）、〈上帝啊！佇祢園內〉（2005）、〈上帝使者有多多（濟濟）面貌〉（2007）等新的臺灣聖詩。身為長期與臺灣民主運動發展有著密切關係的長老教會之傳道者，且兼具作家、畫家、社會運動者等多重身分，王貞文的詩作或其他文類的臺語作品，常可見獨特的「教會」用語，文學風格頗有西方文藝的影響之跡，作品內涵也具有強烈的宗教思想。也如前述的教會、家庭及世代背景，王貞文見證且參與了臺灣民主運動，因此作品也充分反映解嚴前後的臺灣政治之現實。

例如收錄於《天使》的短篇小說〈自由時代〉，標題正是取自鄭南榕創刊的系列雜誌之名。小說主角阿河未見過鄭南榕的自焚，卻親眼目睹於鄭南榕喪禮遊行上，追隨鄭南榕殉道而在廣場上自焚的阿楠（現實中為詹益樺）的焦黑屍體。鄭南榕與阿楠為了政治理想而點燃了殉道「聖火」，卻引來政府對黨外運動更嚴厲的鎮壓，於是成為阿河心裡深刻的創傷，「火」在他往後的日子裡隨時點燃，使他的生命停滯在被禁錮的時代而無法前進。以致於在面對長年陪伴、且想為阿河生兒育女的同居人靜珠的熱情「慾火」——那可能延續生命的火柱時，阿河也總要將它焦熄。

小說藉由主角阿河的經歷與心理的轉折，來描繪那些曾受到建國大業的感召，而投身參與追求「自由」的行列，卻也因「時代」遭受創傷的底層人民們（或者多數當年如阿河一樣的「衝組」們）其深陷的苦痛與鬱悶。王貞文藉著女性的溫柔安慰與基督教的疼惜關懷，來療癒許多走過政治的集體創傷的諸多參與者或無名大眾，幫助他們得到救贖且願意迎接另一個新時代來臨的可能。

王貞文還有許多像這樣由女性角度書寫的臺語小說，它們既是政治小說，也是宗教小說，卻沒有男性作家筆下的政治控訴，也非一般宗教小說的說教式寫作，而是體現前述「本土神學」思想，深入理解土地並撫慰其集體創傷的入世文學。

九、莊柏林

莊柏林（1932～2015），出生於臺南學甲。高中時期就讀臺南一中，而後考取臺灣大學法律系，畢業後再到日本明治大學攻讀民事訴訟法。曾任臺灣高等法院簡任法官、律師、淡江和文化大學教授、考試院典試委員、司法院審議委員、臺灣國辦公室（908 臺灣國運動）監察長；2000 年始受陳水扁總統聘為國策顧問。

身為法律人的莊柏林，曾出版《民事訴訟法》、《強制執行法》、《商事法》等法律著書，早期亦為「笠詩社」同仁，發表許多華語詩作。1991年任《笠詩刊》社長，同年為了深化臺灣文學，尤其是推動臺語文學，而以父親之名設立了「榮後臺灣詩人獎」，每年頒發給對於臺灣書寫、臺語書寫有重要貢獻的詩人，包括李魁賢、林宗源、黃勁連、向陽、林央敏、李勤岸、路寒袖、莫渝等多位。

莊柏林於 1990 年即開始投入臺語文學創作，也加入蕃薯詩社並發表詩作，且擔任《蕃薯詩刊》之法律顧問。1956 年，莊柏林在彭明敏的國際公法課堂上受到極大的政治啟蒙，而後彭明敏因發表「臺灣自救宣言」而入獄，莊柏林畢業後則進入公家機關擔任司法官多年，也心繫法律改革。四十多歲後離開公職，一方面投入政治改革，一方面也更積極參與文化建設。他希望先以母語詩歌作為文化獨立的宣言，認為臺灣要保有自己的文化，前提即是語言的保存，尤其平埔族語言的消逝，以致家鄉的西拉雅族幾近滅亡，因此其強烈批判國語政策刻意抹殺鄉土語言的目的即是讓該族群消失；而這也是其投身臺語文學運動的主要原因。

莊柏林曾發表多首「七字仔」詩，而其臺語現代詩作的題材以鄉村舊時的情景為多，也擅長以植物描寫愛情。且因作品極具歌謠性，莊柏林有超過150 首詩作受到譜曲傳唱，譜曲者包括王明哲、王美雲、黃南海、郭孟雍、郭芝苑、蕭泰然……等多位。莊柏林最受注目、發表於《蕃薯詩刊》第 3 集的〈苦楝若開花〉，受李忠男、王明哲等人譜曲，不同曲風，皆傳唱廣泛。

苦楝若開花
就會出雙葉
苦楝若開花
就會出香味
紫色的花蕊
隨風搖 隨雨落

苦楝若開花
就會春天來
苦楝若開花

就會結成籽
紫色的花蕊
隨風搖　隨雨落

田嬰停佇厝邊角
白頭鵠樹頂做岫
一陣囡仔佇樹跤
掠蟋蟀仔咧相咬

「苦楝」（khóo-līng）是臺灣南部相當常見的木本植物，花蕊微小不鮮豔，極能適應環境生長，樹身常是鳥類昆蟲寄宿所在。藉著詩歌前段靜謐、後段活潑的表現，讀著彷若看到地方鄉土的人們平凡地隨遇而安，且能護育其他生命的樂園圖像。

　　莊柏林的詩作風格可謂繼承鹽分地帶的文學傳統，一方面流露出對鄉土熱切的關懷，卻是以冷靜的視角來映照出土地的現實。著有詩集《西北雨》、《苦楝若開花》、《火鳳凰（1）、（2）》、《莊柏林臺語詩集》、《莊柏林詩選》、《莊柏林臺語詩曲集》等多部。

十、鹿耳門漁夫

　　鹿耳門漁夫（1944～），本名蔡奇蘭，生於臺南市，曾成立「臺江詩社」，於 1995 年始不定期發行《臺江詩刊》，重刊諸多臺語文學舊時經典，包括《昔時賢文》、《周成過臺灣》、《訓蒙教兒經》、《千金譜》等多部，以及其個人的七字仔白話詩、勸世歌等創作。蔡奇蘭在營造、農業、房地產等多方領域皆有成立公司，事業相當成功。而在臺語文學的推動方面，其總不吝於提供資金，例如 1999 年開辦的「臺灣文史營」營隊，在其資助與號召下，於臺南市土城鹿耳門聖母廟盛大舉辦。曾自費出版

《臺灣白話史詩》、《臺灣白話三字經》、《鹿耳門漁夫詩集》、《歸隱田莊》、《臺灣的拓荒者》等多部詩集。

　　鹿耳門漁夫擅長以詩寫史，例如《臺灣白話史詩》以極長篇幅書寫臺灣自史前時期發展至今的歷史，其中也歌頌臺灣歷史人物乃至當代政治家等對臺灣的貢獻。其也擅長書寫臺南的在地文史，例如《臺灣的拓荒者》中的寫景與寫人詩句即多聚焦於臺南，其中 2004 年的〈鹿耳門史歌四首〉，將焦點置於臺江內海的進出門戶「鹿耳門」：

一、竹排港
竹排港　轉運站
唐山貨　入府城　千百項
三郊貿易　名聲香
北起天津　南止廣東
三郊總管伊是土城人
土城人　知輕重
甘願碼頭做長工
長工哀歌滿街巷
竹排港　飼阮長工一世人
啊！　我愛古早竹排港

二、四草砲臺
四草湖　臺江肚
臺江內海範圍粗
北起蕭壠　南至二層行海埔
軍事重地　鎮海元帥顧
鎮海元帥大眾廟
砲臺遺址在四草國小

殘留砲墩西霞照
英靈孤魂啥人叫
四草砲臺啥人惜

三、蔡牽與鹿耳門
蔡牽反　臺灣亂
三次攻入鹿耳門海灣
鹿耳灣　護臺灣
一入鹿耳就安全
鹿耳連帆　漁貨滿滿
鹿耳春潮　南風款款
鹿耳村民是漳泉
漳泉好漢　不服滿仔管
啊！蔡牽英雄　何時平反
啊！臺灣獨立拍通關

四、蔡樹帆與國賽港
國賽港　報旗號
旗號掛佇三丈的竹篙
船隻出入隨時報
樹帆水文最清楚
執行勤務無差錯
討海兄弟稱大哥
臺江水　白波波
國賽港　密如鎖

茫茫大海風波多

啊！行船人快拜媽祖婆

作者認為鹿耳門之得與失，乃關係臺灣府治之安危；而臺灣府治之安危，也左右著臺灣南北二路的控制。這首組詩，不僅歌頌早期港口的碼頭工人、討海兄弟，以及昔稱「鎮海城」但幾乎被遺忘的四草砲臺，另也特別緬懷著昔日管理鹿耳門港出入船隻的「行會」負責人「三郊總管郭光潘」，以及精通航海技術且對天文地理極有研究的國賽港領航員，即掌理旗號、向安平海關報告船隻進出狀況的蔡樹帆，最後更畫龍點睛地將在地行船人的信仰——作為坐鎮臺江內海的臺灣之神——媽祖婆，有呼籲今人應謹記地方小歷史而慎思臺灣大歷史之意，也更突顯「臺灣的拓荒者」的實存人物與精神層次的象徵。

要說多數的臺語文學作家出身於臺南，一點都不為過。如前所述，臺語文學營隊多於臺南舉行，許多臺語文學團體於臺南結成，許多臺語文學雜誌創刊於臺南；建構臺語文學理論及研究者，臺南人更不在少數。臺南，可謂臺語文學運動的搖籃地、臺語文學工作者的大本營。而除了上述幾位作家之外，臺南還有更多值得介紹的臺語文學家。限於篇幅，以上介紹的作家，主要以出版過作品集為主。而部分重要作家，則留待下一章論及「二十一世紀迄今的臺語文學概況」時再加以補充。

第六章

二十一世紀迄今
的臺語文學概況

二十一世紀之後的臺語文學創作越來越受重視,極大的關鍵在於民間發起的運動已逐漸受到官方重視而進入國家體制,在官方的支持下,得以有更多資源能投入復興與發展工作。而以地方政府而言,臺語文學的推廣尤其以臺南市政府為最。如前所述,一九九〇年代中期,臺南縣政府即以臺南縣立文化中心、臺南縣文化局作為出版單位,出版了六冊「南瀛臺語叢書」。就官方立場而言,已具肯定臺語文學的宣示意義。而在縣市合併後,由臺南市政府文化局設置的「臺南文學獎」,即率先設置母語文學文類的獎項並向全國徵稿,且規定文字以教育部用字為主,再加上優渥獎金的鼓勵,促進母語文學的寫作者踴躍投稿,且得獎作品的品質也逐年提升,對於現當代的臺語文學之新階段發展,可說具相當大的影響力。

此外,臺南市政府文化局在 2012 年創刊全臺語的文學雜誌《臺江臺語文學》季刊,也培養出不少所謂的臺語文學獎作家,就臺語的文學傳播、閱讀養成及寫作培力等各方面而言,都扮演重要的角色。而這當然也是前述諸位臺南的臺語文學作家們持續向市政府及文化局大力推薦、爭取的結果。因此,本章首先談及「臺語文學獎」的母語文學獎項,以及《臺江臺語文學》的刊行意義與影響,而在第二節則聚焦於新生代臺南臺語作家與作品,其中不少作家更是「臺語文學獎」的常勝軍,或者其作品常見於《臺江臺語文學》。

而近年來,舊時代的臺灣歌謠也開始被納入臺灣文學的研究範疇,那麼,將現當代的「臺語歌」之思想、美學、文學表現等,以文學的視野來思考,確實也符合邏輯與文學發展的脈絡。尤其一九九〇年代以降,所謂「新臺語歌運動」時期的歌曲,極具時代精神與社會意識。因此,本章第三節也將突破以往僅以文字觀點的思考,將三位出身臺南、在當代藝文界

相當重要的音樂創作者之作品，置入此文學史中來討論。首先是長期耕耘臺語文學的運動與創作，且以創新方式寫作「歌仔冊」、「唸歌」，為臺語文學的民間傳統注入新意的周定邦。第二位是「新臺語歌運動」時期中最重要的歌手之一，歌詞和曲風都打破當時流行音樂的視野與想像的朱約信。第三位則是歸鄉回到臺南、已扎根在地二十餘年的謝銘祐，他是寫出繼路寒袖之後，少見的「雅歌」音樂之創作者，且是當代詞人當中最具指標性的人物之一。

而本卷雖以「臺語文學」作為主要論述的對象，但近年來的「臺語」亦有更廣義的解釋。尤其臺南的主要人口為福佬人，卻也有幾位嫁到臺南、成為臺南人的女性客語作家，例如住在下營的華客臺語三棲的詩人利玉芳，或者住在鹽水而主要以客語創作新詩及小說的羅秀玲，她們屬於不同世代，卻都在客語文學創作方面交出卓越的成績。因此，本章最後一節，將簡單介紹這兩位活躍於現當代的臺南客語作家及作品。尤其她們的實踐可謂延續一九九〇年代以降臺語文學運動的目標——即以母語寫作臺灣文學，也希望藉此拋磚引玉，期待見到其他族群的母語文學創作有更開闊的發展，能夠更豐富未來的臺灣文學。

第一節　官方文學獎中的臺語文學獎項與臺文雜誌

戰後許多所謂的「本省籍」作家，因逐漸熟練且習慣以華語寫作，其後可能因得獎而成為受到萬眾矚目的「作家」。例如老字號的聯合文學獎、時報文學獎，或者 2005 年設立的林榮三文學獎等，更促成許多寫作者成為新世代的作家標竿。而近幾年，許多年輕作家則加入以母語書寫的行列，不少寫作者也積極以母語創作文學作品，並成為文學獎的常勝軍。對於以母語寫作的人而言，「文學獎」似也提供一條「捷徑」，讓他們可

能成為「作家」。而因是以母語作品被看見，所以他們被稱為臺語作家、客語作家、原住民語作家等。

文學獎的確是以臺語寫作而成為作家的「捷徑」，但從臺灣文學史的發展來看，以母語成為作家，卻是一條「遠路」，相當遙遠的長路。一九二〇年代的新文學運動至今，臺灣話、母語的「文字改革」與「文學改革」，亦即臺語文、臺語文學的運動，在近三十多年才終於邁向新階段。這是民間力量長期以來的推動，尤其有臺南的臺語文學工作者們的努力，總算得到地方政府的支持。以下第一小節，將簡介這個「新階段」的一些背景，以及「臺語文學獎」所扮演的角色，特別是「臺南文學獎」設置「臺語文學」獎項的重要性。

一、「臺南文學獎」的臺語文學獎項及其他

如前所述，鄭良偉主編的《臺語詩六家選》於 1990 年出版，可謂將當時重要的臺語作家之作品經典化的開始。其宣告臺灣作家以母語寫作文學的「遲到」，也突顯了實踐成果的「有限」。換句話說，當時的臺語文學「集著」，僅是「文字使用量」相對而言較少的文類——臺語詩。而 1991 年的「蕃薯詩社」創社與發行《蕃薯詩刊》，亦是文學史上重要的里程碑。雖名為詩刊，但收錄內容也含括其他長篇作品，尤其是臺語文字化的理論與論述。一九九〇年代以降，「臺灣文學」開始往體制化邁進的同時，隨著臺語文學運動高騰，臺語文字與文學的討論與爭議也越來越激烈。2000 年前後，不少刊行臺語文學雜誌的組織或團體也開始舉辦文學獎，例如刊行《臺文 BONG 報》的李江却台語文教基金會舉辦「阿却賞」、《海翁臺語文學》雜誌或《臺文戰線》雜誌也設立臺語文學的獎項，不僅有獎金與公開表揚的誘因與肯定，促使不少母語意識初初萌

芽的寫作者也開始創作，而讓臺語文學的發展不僅有現代詩，甚至是臺語散文、小說、劇本等，都有愈來愈多的累積。而即便當時母語文字的標準化在當時仍處於進行式，卻已有不少寫作者因為得獎，而成為所謂的「臺語作家」。

　　而繼民間的母語文學獎之後，教育部在 2008 年舉辦「用咱的母語寫咱的文學／用恩兜个母語寫恩兜个文學創作獎」，鼓勵各級學校教師、大專院校學生及社會大眾參與母語文學創作；2009 年以降變更為兩年舉辦一次，文類包括現代詩、散文、小說；徵件組別另分社會組、教師組、學生組等。因是兩年舉辦一次，且徵件對象的教育層級更廣，因此催生極多佳作。

　　幾個地方文學獎也陸續擴增母語文學的獎項，且開放全國公民投稿。其中，最注重母語文學 項者，當然首推「臺南文學獎」。行政院於 2009 年 6 月 29 日審議通過「臺南縣市合併改制直轄市」案，並於 2010 年 12 月 25 日將原省轄臺南縣及臺南市正式合併改制為直轄市，名為臺南市。翌年 2011 年的首屆「臺南文學獎」徵選文類中，除了華語創作之外，亦設「臺語詩」及「臺語短篇小說」這兩項臺語文學之獎項，而後也再新增「臺語散文」之獎項，甚至一度增設「客語散文」獎項，可惜並未持續。而除了 2014 年臺語詩、散文、小說三項皆有徵件，往後大概以每屆輪流徵選兩種文類的方式進行。

　　這是臺南的臺語文學作家們向文化局大力推薦及爭取的結果，也可謂作為地方政府的重大文化政績。「臺南文學獎」的臺語文學獎項，更帶動其他地方政府的母語文學文類獎項的設置。例如高雄市的「打狗鳳邑文學獎」，自 2011 年起增設臺語現代詩獎項；而「臺中文學獎」自 2016 年始

增設「母語歌詩」（臺、客語）獎項；嘉義的桃城文學獎，自 2020 年增設臺語現代詩獎項；而如雲林文化藝術獎的文學獎雖無設母語文學獎項，但亦可見少數以母語書寫的作品，獲評審青睞而得獎。

值得一提的是，近年最受矚目的官方文學獎，即是位於臺南的國立臺灣文學館所舉辦的「臺灣文學獎」。臺灣文學獎自 2005 年設立，自 2008 年始設本土語文的文學獎項，初時為臺語、客語、原住民（主要為漢語）三種語文，一年一項輪流徵選。然而，三年才輪到一種語文，輪到時又是現代詩、散文、小說逐項再輪，要看到同一語文與同一文類之獎項，得等好多年。2017 年開始，本土語文的獎項不再輪流，但文類則維持一年一種。2020 年，臺文館再將評審辦法大幅調整，使每年的臺語文學創作獎都有新詩、散文、小說等三種文類的徵件，而每項各取一名首獎。

「臺南文學獎」自 2011 年設臺語文學獎項至今已超過十年，而「臺灣文學獎」自 2008 年始設本土語文的文學獎項。這些由官方主導的臺語文學獎項，不僅鼓勵更多人以母語寫作，也成為母語作家持續精進作品的動力，而讀者也能期待閱讀佳作，得獎者又可獲得全國性的表彰，的確對臺語文學的質與量皆促成最大的提升效果。

另外，創作風氣更加打開之外，也可看到近年來的「臺南作家作品集」的徵件中，幾乎每年都有臺語文學的作品集出版。可以說，臺南市政府文化局和其辦理的「臺南文學獎」與相關出版，在扶植母語作家的路上，是最大的支持者。

二、首部由官方設置的臺語文學雜誌：《臺江臺語文學》

2012 年，由臺南市政府文化局主導的季刊《臺江臺語文學》，是臺灣首部由公部門出版發行的臺語文學雜誌，於眾所矚目之下出刊。發刊當

時，於吳園藝文中心舉辦創刊記者會，且邀請諸多長期推動臺語文學的前輩與作家參加。時任市長的賴清德也親自以臺語朗讀前輩作家許丙丁的詩〈菅芒花〉，並於致辭中期許《臺江臺語文學》的發行，能達到「推廣臺語文及文學」、「尋回臺南文化首都的光榮歷史地位」、「找回臺灣本土的光榮感」等三項目標；這是解嚴後的臺語文學運動以來，極具歷史性的意義之記者會。

《臺江臺語文學》每期刊出臺語詩、散文、短篇小說、戲劇、七字仔、囡仔歌詩、評論等，文類相當全面，且作品的題材與內容也非常多元而豐富。每期更設置豐富多彩的主題專欄，並廣邀專家及研究者寫作，除了讓讀者能欣賞臺語文學的創作，也對於臺語文學的研究與保存留下諸多貢獻。

由於是官方主辦的雜誌，《臺江臺語文學》是母語文學刊物中，少數能支付作者稿費的雜誌，並且其擔負著推行臺語標準用字的任務，因此雜誌中的用字皆以教育部頒布常用漢字及羅馬字方案為主。無論是各文類的創作，或者研究與論述的文章，各期都平均刊出臺語的古典、民間文學、現代文學、報導文學等作品。尤其《臺江臺語文學》的「劇本」刊登數量，也較其他臺文雜誌較多，為臺語文學在較長篇的文類發展，建立一個重要的指標。

二〇一〇年代以降的母語文學寫作，尤其因「文學獎」的誘因、篩選與加持，其文學性已大幅提升。當代的臺語文學作品，其題材方面仍可見不少歷史反省與政治批判的書寫，但也已可見更多年輕寫作者開啟更豐富的題材與文學表現，包括以象徵主義拼貼斷代史、以魔幻寫實重構平埔認同，或者單純地表現青春之愛、細緻地刻畫疾病傷痕等，跳脫既有的書寫框架，展現了新世代母語書寫的多元特質。

　　現當代的臺語作家，包括中、新生代的創作者，其投入臺語文學的創作，除了是母語意識覺醒之外，更重要的原因或許在於對歷史的深度認識，以及所肩負重構母語與歷史連結的使命感。特別是許多中生代的作家之寫作，仍可見不少二二八或白色恐怖相關的主題，也有不少作家試圖以創作來反省與重建平埔族的認同，而平埔族的認同之建構，也更可謂臺灣認同的深層重構。也正因為如此，這些作家的作品讀來仍有相當的沉重感。即便較新生代的臺語作家作品，也仍可見繼承這些書寫意識的創作。

　　另外，雖受到兩度國語政策的影響，臺灣各族的母語「土壤」嚴重貧瘠，年輕一輩的母語寫作的確有明顯華語化的現象，語彙的使用方面也多較單調，需有更高階的語文學習和訓練才能彌補。但如前所述，2006 年教育部通過公布臺語推薦用字與羅馬字，以及相關查詢系統後，臺語文字的標準化已促使書寫「武器」備齊，此大幅改變社會對臺語文字的認知與態度，且影響不少原以華語書寫的知名作家，也漸漸以標準化的文字出版母語散文集（如劉靜娟、廖玉蕙等）。而尤其近一、二十年來，從臺南出發的中、新生代的臺語文學創作者，除了在文學獎上嶄露頭角，許多作家已寫作出更多豐富題材的文本，文學技巧也愈趨純熟。

　　以下主要介紹這些在 2000 年以降開始活躍於文學獎或母語雜誌中的臺南作家，但也將介紹幾位從一九九〇年代以來就開始投入臺語文學的作者，他們可能還未有機會將作品集結出版，然而其創作數量與質量都相當卓越，因此為他們留一些篇幅，希望他們不被遺忘於文學史中。

一、鄭雅怡

　　女性作家鄭雅怡（1963～），出身高雄，臺大外文系畢業後，前往美國密西根大學攻讀新聞碩士，因在大學時代即對臺灣文學極感興趣，自美國回臺後，也再進入成大臺文系並取得第二個碩士學位。其曾任記者、翻譯、編輯等工作，也曾於臺南、高雄的大學擔任教師，主要教授英文，但對於臺灣文學的研究、臺語文學的創作始終投注大量心力。鄭雅怡希望了解臺灣其他不同族群的語言文化，於碩士班期間也特地學習客語，且取得客語中高級認證；此外，她也努力學習原住民語中的西拉雅（Siraya）語。2016年，其以「行向一個用 Siraya 做基礎 ke 臺灣女性主義」的研究主題，取得臺師大臺文系博士學位。

　　鄭雅怡從一九九〇年代後期即投入臺語文學創作，其創作文類相當廣，包含臺語現代詩、散文、小說，另也發表不少客語作品，且獲得諸多臺語及客語文學獎項的肯定。例如以全羅馬字（教育部臺羅）寫成的臺語散文〈Mihumisang, Patunkan! Uminang, Usabi-iaha!〉，內容為一封寫自 2010 年至 2012 年才寫完的遊記式書信，記其登上玉山的經驗與所見的山景之美，也提出玉山應正名為原住民的 Patunkan 之稱呼，文中表現其對臺灣土地的熱愛與對於殖民者剝奪土地等反省，獲得 2012 年臺南文學獎臺語散文的優等殊榮。在客語創作方面，例如〈蝴蝶〉一詩，即曾獲得 2012 年教育部本土語文文學獎的客家語學生組現代詩首獎；2013 年臺南文學獎設置的「客語散文獎」首獎得獎作品，亦是鄭雅怡的〈化療病房〉。

　　而鄭雅怡最廣為人知且受傳頌的作品，是發表於 1999 年 3 月的《臺文通訊》第 62 期、以二二八受難者遺孀的角度所寫的敘事長詩〈二二八紀念碑〉。以下將此詩全文引出，而為節省篇幅，每句之間以／縮排調整。

囥一支百合花，／囥袂落對你 ê 數念。／我 ê 青春親像純白 ê 花蕊，／Tú-tú 開花就予人 at 折。

咱新婚兩月日 ê 早起，／銃聲擾亂台北圓環 ê 春天，／Tī 病院 kap 談判會議來來去去，／你罕得 kap 我相見。

Hit 暝咱用身軀相安慰。／山谷 ê 霧親像被，kā 咱包圍。／溫暖 ê 溼氣予咱強 beh 絕氣，／也 m̄ 願 kā 目睭 thí 開。

房間門雄雄予人 lòng 開，／兵仔 kiảh 銃 kā 你拖 -- 去。／連外衫也 m̄ 予你換，／眠床邊 kan-ta 賰一雙 tshíng 拖。

Siang 暝我上尾擺洗你 ê 身軀。／Tùi 白 siak-siak ê 跤跡，／摸銃子 thàng-- 過 ê 血跡。／深到摸無底 ê 空喙，／永久 khảp tī 我 ê 記持。／目屎無流半滴。

絕望予我 ê 心冷 ki-ki，／予我 ê 目睭枯焦若柴。／喉叫也袂出聲。／驚惶束 ân 我 ê 聲帶，／我 ê 心袂 koh 唱歌。

Tī 無盡 pōng ê 暗暝，／一粒種子無人看 -- 見，／恬恬 tī 我 ê 腹內 puh 穎。／囡仔 tī 風颱暝早產出世，／「Ah！查某 --ê!」

你 ê 老爸聽 -- 著就幌頭離開。／外家勸我冗早改嫁，講好勢，／囡仔滿月就送予人飼。／半暝嬰仔啼哭，我抱伊行到窗仔口，／看伊滿足 suh 乳，靜靜睏 -- 去。

我 ê 目屎流到耳仔墘，／M̄ 甘 kā 伊抱離開身邊。／彼 tiảp 我覺醒：／囡仔是我 ài 揹 ê 十字架，／是咱 bat 相疼 ê 印記，／是絕望中獨一 ê 向望，／苦痛中上大 ê 歡喜。

五十年親像大水流--過，／我 ê 青春 tùi thuah 枋頂面 nuá--過，／Tùi 半暝針線 ê 空縫 ǹg--過。／查某子漸漸大漢，／親像你，有烏白分明 ê 目睭，／凡事有家己 ê 判斷。

細漢伊 tè 我去替人洗衫，／賣麥芽膏--ê 定定送予伊糖仔。／有一日囡仔問我：／「你 kap 賣麥芽膏--ê 結婚 kiám 好？／Án-ni，我逐日攏有糖仔 thang 食。」／紲接伊講細細聲，「Án-ni 我也有一个爸爸，thang 疼我。」

查某囡大漢，無輸予查甫囡仔，／Kap 你共款，做婦科醫生。／Tī 外國開業，生囡定居，／雖罔數念，iáu 是我最大 ê 安慰。／我猶原守 tī 山跤 ê 厝--nih。

五十年後才行入街市，／徛 tī 你拍拚有份 ê 紀念碑，／頭一擺由在目屎 teh 流。／Tī 眾人面前，／出聲為你啼哭。

頭一擺，／我 ê 跤跡徛騰騰，／五十年 ê 拖磨無予我 lê 頭。

久年聽候 ê 正義這 tiáp 才到：／咱 ê 犧牲 m̄ 是罪證，／是歷史永久 ê 見證，／親像點著 ê 火把，／照過天光前 ê 曠野。／囥一支百合花，／囥袂落對你 ê 數念。

咱 ê 青春親像清白 ê 花蕊，／開 tī 久長所疼 ê 土地，／受 at 折也無怨悔。

敘事開頭是懷想新婚初期遇到二二八事件，丈夫忙於公務，兩人在難得相互取暖之時，丈夫被抓走，從此懷孕的新婚妻子艱難度日，且因生下的是女孩，不得夫家憐惜。即便失去笑容，「未亡人」仍堅強把夫妻兩人相愛的印記好好扶養成大，女孩相當有志氣地成為婦科醫生。而後未亡人也終於看見轉型正義的象徵，即二二八紀念碑的設立，讓一首讀來悲慟的歷史

長詩，最末也讓讀者被洗禮過一般，隨著這位女性的堅毅與見證，重新凝視歷史帶給整個社會的傷痕與其意義，並思考受傷的土地於重生後的珍貴價值。尤其這首詩自 1999 年發表以來，多次由《臺文通訊》創辦者鄭良光的夫人何如璋以如單人劇場的聲演方式，在海內外的二二八紀念日期間的紀念場合演出，令許多現場觀眾聞之落淚，感動相當多人。

從一九九〇年代至今，鄭雅怡的臺語及客語寫作幾乎沒有間斷，作品當中的歷史觀點、女性立場、平埔族建構的寫作意識也愈來愈鮮明。其所發表過的佳作不計其數，可惜至今仍未見作品集結出版。

二、周華斌

周華斌（1969～），臺南新營人。1989 年，周華斌以第一名畢業於南榮工專，專科時期就非常熱愛文學，曾獲得校內文學獎散文首獎。1991年起開始將作品發表於報章雜誌，也是 1991 年蕃薯詩社成立當時年紀最輕的社員；1998 年加入笠詩社。曾擔任出版社日文編輯、專利商標事務所撰文工程師，而後為了研究臺語文學而進入成功大學臺文所攻讀碩士，後再進入臺灣師範大學臺灣語文學系博士班就讀，於 2015 年取得博士學位；現為臺灣文學館研究人員。

曾獲吳濁流文學獎、臺南文學獎、鄭福田生態文學獎等多項。其中，獲得第一屆鄭福田生態文學獎首獎的作品〈數念———一封情批〉，是分別寫給「花鹿」（梅花鹿）與「烏雲豹」（雲豹）的組詩。限於篇幅，僅錄前段與「烏雲豹」：

公共電視〈追尋雲豹的腳蹤〉：「相傳在南方的山林裡，有一種神祕的動物……雲豹……或許已絕跡，或許還在，存在於大武山繚繞不散的雲霧之中……」

你是 tī 聖山 tsáu-pio ê 雲
去你 ê 故鄉 suah 揣無妳 ê 影跡
甘願相信妳是踏著細膩 ê 跤步
M̄ 是真正失去影跡

Tī 欲轉 -- 去 ê 路 --nih 聽人講起
原來妳一直覕 tī Lukai ê 母語 --nih
叫做 Ihikulao
原來妳一直覕 tī Paiwan ê 母語 --nih
號做 Iikuljua
原來妳 hông hȯk-sāi tī 傳說內底
妳是 Lukai 祖先 ê 根頭
Tī 逐个人 ê 心肝底
成做精神 ê 標頭

逐个人攏 bē 記得妳 ê 叫聲 --ah
M̄-koh 逐个人攏有耐心
會 thing-hāu 妳 ê 出現
叫破阮厚厚 ê 掛慮

坐 tī 相思 á 樹跤
問 ka-tī
愛 kōo 啥物款式來數念 -- 恁？
M̄ 願
干焦 kōo 圖鑑來數念 -- 恁
甘願相信
疼惜島嶼 kiám-tshái 會當發見恁新 ê 跤跡

以情書的方式寫信給幾乎消失的「烏雲豹」——臺灣雲豹——傳奇的存在，訴說著作者矇矓而無法清晰的思念，行文中即帶著對於作為臺灣圖騰象徵的追尋意義。即便絕跡，但臺灣雲豹在魯凱族語、排灣族語都清楚地保留著牠的名字，那麼，「疼惜島嶼」或有可能發現其「新ê跤跡」的終句，就包含著對於未來臺灣有著新的傳奇性圖騰之期待意義。

周華斌於 1999 年即出版首部華、臺雙語詩集《蒲公英》，為第 7 屆（1999 年）南瀛文學新人獎得獎作品。往後特別專注於臺語詩和臺語小說的創作，創作量相當豐富，出版臺語詩集《詩情 kap 戀夢》，另有小說集《咱ê故事》，亦編輯《走揣文學ê臺灣：黃勁連 40 年詩選》。

三、施俊州

施俊州（1969～），彰化花壇出身，定居臺南。東華大學創作所藝術碩士，成功大學臺灣文學系文學博士。曾以筆名 Mahohsuki Ianbupo 發表作品，曾獲第 12 屆聯合文學小說新人獎、2000 年優秀青年詩人獎，以及多項臺語文學獎項，其創作文類包含新詩、散文、小說等相當多元。在投入臺語文學的研究與推廣之前，即出版華語詩集《寫在臺南的書信體》（1999）、華語長篇小說《愛情部品》（2003）。

2010 年，施俊州以「語言、體制、象徵暴力：戰後台語文學 kap 華語文學關係研究」之題完成博士論文。2012 年，其創立臺語左社（Left TG Society）、發行臺語文學雜誌《臺灣文藝》，亦曾任《首都詩報》創刊主筆、《海翁臺語文教育季刊》輪值主編。也曾擔任臺文筆會及海翁臺語文教育協會理事，並主編 2006、2010 臺語文學年度選。施俊州勤於收集臺語文學的文獻與史料，於 2012 年出版《臺語文學導論》，另主編《臺語作家

目錄》（2015）、《臺語文學發展年表》（2016）、《臺南青少年文學讀本 臺語詩卷》（2018）等臺語文學的研究及讀本等相關參考用書。

施俊州的語言及寫作風格，是現當代臺語文學作家中難以比擬的，且其作品常有「跨文類」的書寫實驗。例如 2012 年獲得臺南文學獎臺語散文首獎的〈白雪路 180 巷〉，與同年獲得臺南文學獎臺語短篇小說佳作的〈愛嬌〉，兩篇實為「互文本」的寫作，散文裡有小說的筆法，小說裡又有獨白體式的表現，且兩篇作品之中又時常與他人的作品進行對話，包括林燿德、賴仁聲，也包括聖經裡的話語。而又如於 2014 年獲得打狗鳳邑文學獎臺語新詩優選的〈天使 ê 戲齣——Friedrich Engels, 1820-1895〉，則是將劇本濃縮成行、精緻成詩的另類寫作。全詩長達五十餘行，而首段的三行則如此呈現：

人物 1：Friedrich Engels（天使）

人物 2：Karl Heinrich Marx（魔鬼）

人物 3：Positivist 讀者數名

然而，恩格斯並非天使，馬克斯也並非魔鬼，數名讀者（或說少數能閱讀臺語詩且能讀懂其詩的人們）事實上很難從詩裡兩人於巴黎的相互調侃與辯證中，來進行實證主義的檢驗。作者以 1820 年至 1895 年的恩格斯之思考，帶著讀者們反思時過境遷的思想演繹，也藉詩追問人類的歷史如何被詮釋、人類究竟能主宰什麼，或者受到思想啟蒙後的讀者們到底如何「實踐」，或者是否也無需辯證就直接實踐（吧）的哲學課題。

四、陳建成（1960～）

　　陳建成，曾任臺南市文化基金會月刊《王城氣度》主編，2008年出版臺華雙語詩集《浪人》，2010年出版布袋戲劇本《臺灣英雄傳之決戰西拉雅》，2012年再與王藝明掌中劇團團長王藝明合作布袋劇劇本《大目降十八嬈傳奇》；另著有歌舞音樂劇劇本《戀戀臺灣》，並擔任《臺江臺語文學》總編輯。

　　陳建成致力於臺語文學的推廣與布袋戲劇的革新，因此其臺語現代詩作，也常見融合如布袋戲中的語調口吻之文體，呈現出一種當代詩作中較罕見而獨特的典雅風格。例如這首書寫臺南安平傳統住家特有的「避邪物」〈安平劍獅・之一〉：

　　時間自意流轉
　　便若靜心追想著的
　　就是千百年的影跡
　　笑看滄海桑田
　　史冊半真
　　毋敢輕慢的
　　每一波浪
　　悲喜暗藏
　　每一爐香
　　虔誠交仗

　　月光有時迷亂
　　便若起身陪綴著的
　　就是上無明的坎站
　　有時風湧欲起

有時妖魔欲降
是厄　是劫
寒氣浮搖夜肅殺
問我膽識怎形容
天命一條
七星劍一支

當等日出
所看顧的
每一粒甘甜的眠夢
罩上五彩光芒
我就會歡喜捧杯
敬咱港邊相疼
這段世代依倚的塵緣

早期的臺南安平，幾乎家家戶戶的門簷都設有劍獅的雕刻裝飾，用以避邪，也是極具在地特色的信仰文化。隨著房屋的新築或改建，設有劍獅的門宅已漸少。此詩追憶逐漸從安平文化消失的劍獅之昔日英勇，也因如布袋戲中的敘事語調，更賦予劍獅的瀟灑性格。陳建成的詩作正是以這種能跳脫一般民間文學風格之仿古文體，來呈現一種優雅的江湖氣味，讓其欲書寫的主題有了更多層次的表現，也突顯其極具個人特色的臺語現代詩風。

五、柯柏榮

　　柯柏榮（1965～），生於臺南安平，曾兩度進入臺南監獄受刑，前後共坐牢 17 年。自 2003 年開始，其於獄中自修臺語文學創作，創作以臺語詩為主，另也發表多篇臺語散文作品。柯柏榮的作品多有以「監獄」出發的書寫，因此有「監獄詩人」的稱號。曾任臺文筆會秘書長、臺灣歌仔

冊學會秘書長、《首都時報》總編輯、《臺語教育報》執行編輯；亦擔任臺南市的中小學臺語教師，並開設「臺文創作私塾班」，教授臺語詩的寫作。曾出版《娘仔豆的春天》、《內籬仔的火金姑》、《記持開始食餌》等臺語詩集。

柯柏榮後期的詩作題材包含歷史書寫、社會關懷、家族與愛情等多樣，而其最受討論的作品則是記述獄中所思的三行詩。例如 2010 年《內籬仔的火金姑》中所收錄的幾首詩作，非常精緻細膩，讀來相當震撼。舉以下四首為例：

〈向望〉
連狗蟻嘛毋插伊
鐵窗內
兩蕊濕澹的向望

〈死刑犯〉
藏 1 片刀仔片
將生命線
割較長的

〈愁〉
秋風傷瘦
袂振動
思念的頓位

〈假釋駁回之一〉
四界有人大聲喝：民主！自由！
民主？我毋捌
自由！毋捌我

此四首各僅三行的短詩，精準地刻畫了作家受監於獄中的所思，包含其希望受挫、生命暫停、惆悵沉重、失去自由等心境。詩句簡短而鏗鏘有力，將作家內心情感的澎湃流動，殘忍地「刻畫」，而那精緻的刻畫，讓其欲與外界有所交流及對話，卻只能受框限在最小格間裡的困境，更加強化而鮮明。

六、王羅蜜多

王羅蜜多（1951～），本名王永成，生於臺南。淡江文理學院中文系畢業，南華大學宗教學碩士。曾獲臺文戰線文學獎、教育部母語文學獎、臺南文學獎、桃城文學 、臺灣文學獎等多項。是作家，也是畫家；畫作受國內外多人收藏；平日喜讀心經，而作為筆名中的「王羅」和「蜜多」，是其內在世界的對話之表現。出版詩集《鹽酸草》、《問路 用一首詩》、《颱風意識流──王羅蜜多新聞詩集》、《王羅蜜多截句》、《日頭雨截句》、《大海我閣來矣》、《臺灣阿草：臺灣史蹟草木臺語詩集》等多部；首部臺語小說集《地獄谷》，於 2022 年出版。

王羅蜜多的詩作題材非常豐富，無論是詩作或小說，其風格都相當「年輕化」，有別於前一世代的鄉土書寫，寫作技巧也相當純熟老練。而就小說作品而言，他尤其擅長地方政治生態的書寫。例如臺語小說集《地獄谷》中的作品〈地獄谷〉，是獲得 2019 年第 9 屆臺南文學獎臺語小說類的首獎之作。主角是一名希望能深度考察地方選舉生態而成為議員秘書的碩士生阿良。阿良被為了選上 D 縣議長的議員老闆賦予重大任務：幫忙把被收買的議員們關在溫柔鄉享樂，以確保勝選票數。溫柔鄉途中的「地獄谷」作為危險、恐怖、深沉、陰暗的政治現實與鬥爭之比喻；作者運用各種象徵，精采地描繪北投溫泉區美麗之「景」與污穢之「色」，以非常冷靜的筆調

書寫地方政治人物的兩面性，且以明快又驚險的敘事節奏，揭露志願從事政治工作的年輕人，其內心難以接受的煎熬，包括跟著墮落於溫泉鄉、見證了政治的醜陋面、更差點成為議長選舉政治鬥爭之犧牲品等等的幻滅。

這樣的政治小說，卻不以歷史事件或政治迫害作為主題，也非有對政治勢力提出明確的控訴，而是深度地挖掘地方社會與人文的構成，使得政治生態難以改變之實況，且提供當代讀者對於政治有不同層次的觀察點與反思。

七、吳嘉芬

吳嘉芬（1966～），生於臺東東河鄉，成為臺南媳婦後，即定居臺南。其於 1998 年開始學習以臺語文書寫，自 2002 年開始於臺南市多所小學擔任臺語指導教師，也親身參與語文競賽，獲得優秀成績。雖是極早學習臺語文，且擔任過菅芒花臺語文學會理事、臺南市古都電臺節目主持人之臺語指導老師，但吳嘉芬真正提筆寫作是在 2008 年。而為了再精進自己的臺語研究能力，吳嘉芬也加入 2011 年成立的「臺灣歌仔冊學會」，且在中年過後重回校園，進入臺中教育大學臺灣語文學系碩士班就讀。

2020 年，吳嘉芬出版其首部個人散文集《火種》，集中收錄其對於故鄉的追憶、家族的情感，個人的生命故事、生活隨筆等，另外也輯入多篇其訓練國小學生或大學生們參加臺語相關競賽的演講稿，以及部分如報導文學般的臺語文藝之種種參與和觀察。《火種》，是一部身為女性的築夢過程之側寫，亦可謂一部記錄投入臺語復振運動的女性自我書寫。

八、杜信龍

杜信龍（1981～），生於臺南灣裡。輔仁大學電子工程系畢業，中央大學電機工程研究所碩士，為資深半導體工程師，現任職於外商公司，為「臺文筆會」成員。其未曾真正接受臺語書寫的教育，但自 2013 年開始以臺語寫作之後，翌年的 2014 年起幾乎年年獲得二至三項文學獎，包

括桃城文學獎、教育部閩客語文學獎、阿却賞台語短篇小說獎、臺南文學獎、臺文戰線文學獎、臺灣文學館臺語文學創作金典獎等多項。

　　杜信龍的臺語寫作文類相當多元，包含現代詩、散文、翻譯、文化評論、七字仔等，而為了讓臺語文學作品能見度更高，除了發表於《臺江臺語文學》、《臺文戰線》、《海翁文學雜誌》、《臺文通訊 BONG 報》、《民報 - 臺語世界》、《臺灣文藝》、《臺文筆會年刊》等臺語雜誌之外，也在《臺灣教會公報》、《民報論壇》、《吹鼓吹詩論壇》、《鹽分地帶文學》、《掌門詩刊》、《臺客詩刊》、《人間魚詩生活誌》、《野薑花詩刊》、《笠》等跨語文的刊物中發表作品，至今已發表近千篇作品。而其除了自身編輯的詩文集《囡仔giàt》、「七字仔」作品集《七字仔烏白唸》、翻譯金句集《短句 --A-tok-á 台語》等未公開出版的作品之外，2023年8月出版首部臺語小說集《放毒》。

　　或許是對「七字仔」白話詩的熱愛，也可能是追求庶民語言的風格表現，杜信龍作品的文字幾乎都淺白的語調呈現。例如這首於 2016 年 5 月發表在臺語文學雜誌《臺灣文藝》，也收錄於《臺南青少年文學讀本 臺語詩卷》（2018）的詩作〈旅行地圖〉，毫無華麗詞藻，幾乎以完全的口語文體寫出：

地圖 thí-- 開
好好 á kā 我上地理課！
咱 ê 城市
你去過幾个地頭？
內底有啥物故事？
咱 ê 溪河
你敢有去 tshuē 去個 ê 源頭？
內底有你細漢時 ê 記持 -- 無？

Hiah ê kuân 山
內底你去過幾个所在？

敢捌 tī 春夏秋冬去 hia 行踏？
Hiah ê 族群
內底你有 juā 濟朋友？
你敢有法度用佃 ê 話，kap
Ǎi-siah-tsuh ？

地圖 thí-- 開
好好 á 教 ka-tī 認捌故鄉
遮 m̄ 是 hoo-theh-luh

Thí 開地圖
開始走 tshuē 生份 ê 所在
一步一步行踏
Kā kha-jiah 留 -- 落 - 來
完成 1 張 ka-tī ê 性命地圖

地圖 thí-- 開
回鄉起行

作者以相當白話而簡單的詞彙，對著打開地圖閱讀的學生們追問，追問他們對於所在故鄉的了解。無需遠道而付出高額花費的旅行，只要打開地圖即能重新認識故鄉的形成與發展，故鄉的四季有著不同的樣貌，隨時都能說走就走地去探訪與感受。而那些追問是對自我的反省，也是對集體的呼籲，即便也帶著濃濃的說教意味，最後的「回鄉起行」，卻有身體力行的帶頭作用，或可謂一首臺灣的鄉土教育落實至今的註腳詩作。

　　臺南作為一個文化空間，例如廟口的說書、街巷裡的唸歌，其「聲音」與音樂性的文學表現，從現代文學發展之前就已活躍在民間。甚且戰後也有不少臺語詩作多有押韻且適合入歌，例如前述的許丙丁、李勤岸、莊柏林、鹿耳門漁夫等人的詩作。

　　而流行音樂方面，於一九八〇年代末期興起的「新臺語歌運動」當中的所謂新臺語歌，也跳脫了臺語流行歌曲既往的悲情、戀愛傷感、思鄉懷舊等較刻板的內涵，或者是承襲演歌或舊時代歌謠曲風的框架，無論在編曲或歌詞主題都有創新的嘗試。另外，一九九〇年代的民主化運動、本土化運動、臺語文學運動等，也直接或間接地促使一九九〇年代以降的「新臺語歌運動」當中的作品，有了更具社會意義的內涵，與土地文史的連結也更加深刻。

　　如前所述，早期的詩歌多能入樂，而詩歌或歌謠中的文學性與社會性也相當強烈。晚近的流行音樂或獨立創作，則也大量汲取民間文化元素來豐富音樂內涵，這些歌詞創作，也應是「文學史」可更加關注與探討的課題。尤其在現當代的創作中不乏具代表性與影響力的作品，且因為有這些作家們的臺語歌創作與傳唱，讓臺語文學的傳播更加廣闊而長遠。

　　以下介紹周定邦、朱約信、謝銘祐等三位出身臺南的音樂作家。而其中周定邦從一九九〇年代至今都積極投入臺語文學的推廣，且發表許多臺語現代文學的創作，理應於前一章節就應介紹其作品與風格，但因他在「歌仔冊」、「唸歌」等音樂創作表現更獨特的意義，因此於此小節綜述其創作成就。

一、周定邦

周定邦（1958～），生於臺南將軍。成功大學臺灣文學研究所碩士，曾任「菅芒花臺語文學會」理事長、《菅芒花臺語文學》主編、臺灣羅馬字協會理事、臺文筆會秘書長、教育部「臺語能力認證試題研發」團隊人員、臺南護專兼任講師、成功大學臺文系助理教授級兼任專家。現任職於臺灣文學館，亦擔任臺灣說唱藝術工作室總監。

曾獲諸多文學獎項，以及教育部推展本土語言傑出貢獻獎的周定邦，其創作文類包含現代詩、小說、劇本、歌仔冊等相當多元。著有臺語詩集《起厝兮工儂》、《班芝花開》、《Ilha Formosa》；臺語七字仔白話史詩《義戰嘛吧哖》、《桂花怨》；臺語劇本《孤線月琴》；布袋戲劇本《嘛吧哖風雲》、《英雄淚》、《臺灣英雄傳：決戰嘛吧哖》；唸歌專輯《BOK 血ê孔嘴》；臺灣唸歌（歌仔冊）《臺灣風雲榜》、《基隆港朝鮮藝旦殉情歌》、《半島哀歌：恆春半島四大歷史事件》、《市場悲喜曲》等數十部，其中《市場悲喜曲》曾於波蘭華沙展覽。亦曾與臺南人劇團合作「西方經典劇作臺語翻譯演出計劃」，臺譯《神姊奏鳴曲——Macbeth 詩篇》（Macbeth）、《Soah 局》（Endgame）、《虛幻的遊戲》（Mayar Khela）、《Lysistrata：查甫人佮查某人的戰爭》（Lysistrata）、《跤步聲》（Foot falls）、《椅á》（Les Chaises）、《鬮雞》（張文環原著）等多部。

周定邦在年幼歲時即舉家搬遷到臺南市，在就讀高工時期，曾跟著父親一起「做塗水」（tsò-thôo-tsuí，從事土木工程工作），而後則因成績優秀而保送臺北工專。周定邦從小就熱愛布袋戲等本土文化，且因住家附近有「戲園」（hì-hn̂g），而有機會大量接觸歌仔戲。也因住家對面即是佛寺，他曾參加佛寺舉辦的讀經班，當時的讀經班都以臺語來解說佛經，此也成為其臺語意識的啟蒙之一。而當兵時期因擔任政戰士，目睹軍中的非人權與紅包文化，而對政治產生批判的意識，尤其退伍後，上司的抽屜、櫃子

裡也曾放置黨外雜誌，因此開始接觸黨外，也曾參加許多黨外人士的演講或政見發表會。

如前所述，1995 年 8 月至 1996 年 3 月，施炳華、黃勁連於鄉城基金會陸續開設臺語研習營，因學員們想繼續研讀臺語，於是兩人進而再成立「鄉城臺語文讀書會」。讀書會曾舉辦「臺灣歌謠歌詩之宴」，對政治有所熱情的周定邦也前往參加，在聽到臺上的表演者以臺語唸詩、唱歌之後，其受到更深的啟蒙，並認真地每週參加讀書會，更曾擔任會長，該會於 2001 年 3 月才停止活動。除了從講師黃勁連習得臺語文學與寫作，周定邦也因施炳華的介紹而接觸「歌仔冊」。

「鄉城臺語文讀書會」成員，於 1997 年再成立「菅芒花臺語文學會」，並創刊《菅芒花詩刊》（1997 ～ 2008）、《菅芒花臺語文學》（1999 ～ 2001），周定邦擔任詩刊第 4 期主編，也於詩刊及雜誌發表不少作品。而在一次管芒花臺語文學會舉辦的活動中，周定邦接觸了國寶級唸歌大師吳天羅。為了傳承本土說唱藝術，其隨即拜吳天羅為師。學成之後，為了持續精進，周定邦特地前往臺北拜訪唸歌藝術家洪瑞珍，且再前往恆春跟著傳統藝術工作者朱丁順學習恆春民謠。

身為一個對「唸歌」懷有重大使命感的傳承者，周定邦認為歌仔冊就是表現唸歌的一種文體，而它要作為一種文學的文類，完全有其正當性。而在政治與在地音樂藝術的認知更加深刻之後，周定邦創立「臺灣說唱藝術工作室」，並成立「大目周唸歌團」，積極推廣臺灣唸歌藝術。且其不斷思考如何讓這個臺灣的重要傳統文化繼續存活於當代社會，後來也因緣際會地與劇團合作，讓現代舞台劇中有機會結合唸歌的表演。

周定邦的長篇七字仔白話史詩《義戰嘍吧哖》、《桂花怨》，以及以二二八事件為主題的唸歌專輯《BOK 血 Ê 孔嘴》（2018）等，以敘事詩的書寫形式為臺灣島上的抗爭史，尤其是二二八的苦難歷史寫下紀錄。這

些創作，也可說是作家為了帶領現今的閱聽者了解歷史、反省歷史，所寫下的現代勸世歌。

周定邦的唸歌作品，除了內容上融合勸世與傳頌民間觀點的歷史意義之外，作為說唱藝術的一種，其有著臺語才得以極致表現的幽默風格，常能以臺語諧音強化詼諧效果，而能成為大眾的娛樂與生活的慰安。周定邦仍寫作不少。例如這首〈講阮表姊〉（原文漢字以歌仔冊用字為主，羅馬字以白話字呈現，以下引文用字經筆者酌修改），即是極具詼諧性且融合時事與經典笑話的長篇唸歌。以下節錄部分：

（江湖調）列位朋友聽我講，講阮表姊誠 tsing-tsông，伊講臺語嘛會通，我看伊是袂曉咧假膨風。

（雜唸仔）來講一項笑詼代，聽了包恁笑咳咳，iah 嘛請咱坐予在，才袂等下倒頭栽，講阮共恁害，按呢就不應該。這馬來講阮表姊，袂啥會曉講臺語，引著頭路上班去，鬧出笑話一大堆，恁若聽阮來講起，一定會笑死。

表姊上班佇航空公司，一團阿公阿媽來坐飛機，阿公阿媽毋捌字，看無 A、B、C，這馬來咧揣個的位，一个阿公機票提予阮表姊，表姊看一見，開喙就講起，阿公你是豬（D），拄好是這位，阿媽你 C（死）佇遮，拄好佇隔壁，恁著坐予定，飛機連鞭欲起行。

彼个阿公聽了真受氣，大聲 tō 罵起，你這個死查仔鬼仔死查仔鬼，講啥物我是豬，阮某 C（死）佇遮，阿公風火一直夯，表姊看甲真著驚，sī-suā 去叫空中少爺，將情講予伊知影，空中少爺聽一見，知影阿公真受氣，趕緊陪罪送涼水，阿公的火氣卡 tshhé-- 落 - 去。

這馬逐家攏坐定，飛機得欲來起行，阮表姊即時 tiòh 出聲，各位鄉親俗序大，咱的飛機時速是九百外，會記坐咧愛 hâ 安全帶，若無等下飛出去窗仔外，彼時你 tiòh 無地看，哎喲，阿娘--uè 啊，阮嘛毋知欲去 tah 共你 tshuā，時到代誌 tiòh 時真大。

人客逐个真聽話順伊的意，飛行機一直飛一直去，這馬阮表姊，欲分早頓予人客來止飢，因由有人食菜無食魚，食菜無食卵，人客一个一个問，「請問汝敢欲『加蛋』？」一个老阿伯誠 kok-pih，開喙 tiòh 應起：「毋遮等，敢欲去飛機外口等？」阮表姊聽一見，歹勢甲面仔紅記記，五粒雞卵攏總送予阿伯仔伊，阿伯仔 tsìnn 甲規个喙，袂閣 tsuànn 等袂閣喋。

莫講雞卵的代誌，來講這隻飛行機，一直飛一直去，飛到半中途，遇著氣流親像行入烏暗路，人客逐个搣甲塗塗塗，一个阿伯仔佇咧吐，阮表姊走去提咧面布，sàng-soh 提咧激拖塗，來到阿伯面頭前，看伊一直吐，表姊著對阿伯來講起：「阿伯，我來你 tiòh 無代誌，我是予你死「護理系」的 lah，我共你提勇氣（「氧氣」毋是勇氣無是啥？），你 tō 較緊「吸」，緊死、緊死、死死 eh 較快活 li。」

彼个阿伯聽了真受氣，一个面仔紅記記，講話閣講袂出喙，表姊看一下見，阿伯若像著重病，tiòh 對阿伯來講起：「無要緊，這藥仔食飽三粒，若無等一下我才共你拍針（「打針」kám 是拍針），予你快活笑微微。」阿伯聽講欲拍啥物針，人煞驚甲暈暈--去，一命嗚呼歸陰司，可憐阮表姊，共彼个阿伯 kâng 驚--死。

這條講了未完畢，後條再講起，飛行機一直飛一直去，來到美國紐約市，外口大雨摒袂離，烏天暗地啥物攏無看見，阮表姊 tō 共人客來講起，塔

臺有通知，外口風雨摒袂離，叫咱著蹛空中飛一禮拜才會當落去（「盤旋一周」毋是飛一禮拜無是啥？），一个阿伯仔聽了 tiòh 講起，báuh 死 báuh 死今 báuh 死，坐飛機毋免錢，趁著矣趁著矣今趁死。

時間經過半小時，塔臺閣通知，風雨今停去，會當通落去，阮表姊這陣閣講起，各位女士佮先生，各位公媽請注意，恁的墓地欲到位，較停欲落塗的時，牲禮毋通放袂記，我會共恁拜拜 --lih。……

這是一首以「空中小姐」為主角的唸歌敘事詩，實則是以詼諧的方式哀嘆、「唸」著年輕人的臺語斷層之現象。尤其搭機旅行更是現當代人的日常之一，這首唸歌結合現代人的生活經驗，以相當幽默的寫作來表現，但文意內涵非常嚴肅；而這也可謂延續傳統唸歌與時並進的時代精神與從庶民視角出發的創作思想。詩歌中藉由臺語諧音多層次表現臺灣人對於「死」的禁忌，以及臺語誤用所鬧的恐怕不只是笑話而已，整首詩以一場飛行的旅程暗喻了年輕世代與母語告別的旅程。

二、朱約信

朱約信（1966～），生於臺南市，為一九九〇年代以降所謂「新臺語歌運動」時期重要的音樂創作者及歌手。原以藝名「豬頭皮」闖蕩流行音樂界，後以結合本名作為新的藝名「朱頭皮」，持續從事流行音樂、非主流音樂、福音音樂的創作。在臺南長大的朱約信，因成長於基督教會，從小接觸教會歌曲，且常聽 Mozart、Beethoven 等經典的西方古典音樂，而家住林百貨附近，生活周遭都是大小廟宇，對於臺灣傳統的民間音樂也耳濡目染；加上家裡開店，收音機播放的都是文夏、洪一峰等人的臺灣歌

謠，因此其音樂素養非常多元且極具衝擊性。臺南二中畢業後，進入臺大大氣科學系就讀。當時長老教會已經歷前述的本土神學改革與深化，身為第四代信徒的朱約信，從小對在地人文與人權多有關懷，尤其對臺灣史與民主化運動有較深刻的認識，在大學期間便積極參與社會運動。

朱約信在 1985 年北上讀大學，在學期間幾乎都在「行街頭（kiânn ke-thâu）」，參與社會運動，在「街頭」上學了許多社會運動歌和臺語老歌。而「新臺語歌運動」也在一九九〇年代初期開始發展，朱約信因此在諸多政見發表會上演唱黑名單工作室、林強、陳明章等人的歌曲，且為了助選時的歌唱，練就不少舊時臺灣歌謠和一些街頭運動歌曲。朱約信從學生時代就寫作不少選舉相關歌曲，其臺語歌的歌詞創作，也極具文學性與社會性。例如〈望花補夜〉：

望春風　望春風　望春風
望春風　望春風　你閣咧望春風
望春風　我嘛咧望春風
望春風　猶閣咧望春風　噯........

抑無來補破網　補破網
補破網　補破網
試看覓　補破網　補破網
補破網　補破網
補破網　愈補就愈大空
拍拼無彩工　借一支螺絲嘛無通
攏總提去箍面桶

嗚啊喂　嗚啊喂　嗚啊喂　嗚啊喂

雨夜花　雨夜花　雨夜花

雨夜花　受風雨　吹落地

無人看見　暝日怨慼　花謝落塗不再回

月娘光光　風微微　更深無伴　獨相思

等待的人欲到佇當時

阮心頭酸　目屎滴

望春風　車輪破去攏無風

望春風　便所窒咧嘛袂通

望春風　幾百年閣咧望春風

望春風　新婦仔擋袂牢去揣廟公

〈望花補夜〉的歌名，取自〈望春風〉、〈雨夜花〉、〈補破網〉這三首在街頭運動時常被傳唱的臺灣歌謠之曲名。其中，「補破網／愈補就愈大空／／拍拼無彩工／借一支螺絲嘛無通／攏總提去箍面桶」等句，明喻著人民在政經民生各方面的努力，多被執政黨中飽私囊，也暗喻著民主運動受到黨國的箝制而總付諸流水。且因臺語歌謠一向帶著悲情，雖然作者的詞曲幽默且帶著諷喻，但「望花」來「補夜」的曲名與歌詞，充分展現其對臺灣文史的認識與對未來的期望，曲調也結合西方與在地的音樂元素。這首歌收錄於 1991 年發行的《辦桌》專輯，該專輯也收錄朱約信作曲的〈水返腳〉（按：水轉跤）一曲（作詞者林良哲），獲得臺北縣汐止鎮歌選拔第一名。而在同一年，朱約信也發行首張音樂作品《朱約信的音樂——臺語創作現場作品（貳）》，其中便有為了黑名單所寫的〈歡迎黑名單〉：

是按怎　無當看　古早的溪水田園佮山
是按怎　無當看　兄弟親情　阿母阿爹

出國去讀冊　十七八冬外
小可有成就　啊才敢予人知影
歡歡喜喜　準備欲回家　逐項攏齊備　干焦欠 visa

是按怎　阮遮拍拼
若無為臺灣　啊博士是欲創啥
是按怎　老歲仔駛牛車
敢講疼臺灣　就會遮歹命

故鄉啊故鄉　有啥物變換
淡水的河邊　啊散步閣走相逐
黃昏的故鄉　閣予阮梢聲
問政府官員　講你是　烏魚仔乾

　　1992 年，朱約信與李坤城、陳明章、黃靜雅、陳淳杰等人，於臺大小劇場演唱改編自楊逵文學的歌曲，並製作成《鵝媽媽出嫁——楊逵紀念專輯》，交由水晶唱片於 1993 年 10 月出版；為首張臺灣文學音樂專輯。而此專輯或也可作為「臺灣文學」在藝文圈與一般社會開始產生影響的象徵。朱約信也在同時期參加音樂作家簡上仁（1948 ～）的臺語歌謠研習營，對於以臺語創作逐漸有更深的意識，但他認為以臺語表現的文學與文化，不需刻意分別雅俗之高低，而其創作也在尋求在地特色中持續與西洋曲風同步前進。

　　1994 年，朱約信進入主流唱片圈並發行首張專輯《豬頭皮的笑魁唸歌——我是神經病》時，歌詞即結合俗文學的表現，例如其中一首〈來放

尿〉唱著：「透早起來欲放尿／放甲爽快嘛 tshih-tshah 叫／隔壁的小姐有看著／害阮見笑煞放無尿／趕緊攏起來／趕緊攏起來／予你看袂著／隔壁的小姐／哪會遐爾 tshio……」，聽似不登大雅之堂，後段卻又表現了現代健康與生命態度：「放尿愛定時定量定點定目標定清楚／放尿愛認真愛專心愛謹慎毋通潦草／放尿若袂順序著愛攢彼號金絲膏佮吊膏／放尿若無站無節三輪半你就軟膏膏……」。這樣融合民間說唱與現代科學的勸世曲風，在流行音樂圈獨樹一格，更登上美國娛樂雜誌《公告牌》（Billboard）的封面故事。

即便曾活躍於主流音樂界，朱約信依舊注重弱勢，寫出許多極具社會關懷的歌曲。例如收錄於臺灣人權促進會出版的《美麗之島人之島》專輯中，朱約信為勞工寫下〈天公伯仔〉：

天公伯仔　你敢有咧看　天公伯仔　你欲走去 tah
哪會貪官在位　目中無人　欺負善良百姓
哪會污吏遍地　壓霸粗殘　四界欲食欲掠
怎遮橫柴入灶　食阮血肉　醫甲一絲無賰
這是啥物所在　啥物天理　啥物款時代

天公伯仔　你欲走去 tah　天公伯仔　你敢有咧看
無彩逐工燒金　逐工咧拜　毋敢濫糝清采
你是食飽傷閒　睏飽無聊　掠蝨母咧相咬
無彩造橋鋪路　起廟造醮　積聚一堆功德
你是孝孤傷久　肥肥（puî）肥肥（huî）　拜你欲創啥

拜　都咧拜　有拜就有都咧拜
拜　都愛拜　逐家著拜著愛拜
拜　逐工拜　神明保庇共你拜

拜　敢愛拜　拜也無效是咧拜啥碗糕拜啦

天公伯仔　你欲走去 tah　天公伯仔　你敢有咧看

雖然頭前霧霧　刀光劍影　隨時烏陰驚惶

雖然頭前茫茫　無路通行　隨時跋落魔邪

恁爸手無寸鐵　身無分文

干焦賰一粒頭　賰一條命

嘛欲衝府拚州　驚天動地　存範來佮恁削

天公伯仔　阮毋免你保庇啦！

天公伯仔　你袂曉做天！你去死啦！

整首詩與歌唱都是無奈的抗議。而包括歌名與副歌不斷重覆的「天公伯仔」，以及歌詞中的「橫柴入灶」、「食飽傷閒」、「掠蟲母咧相咬」、「袂曉做天」等諸多以此類臺語才能表現的庶民觀點，使得站在受苦的勞工大眾的立場更加堅定，其對著無良政府發出的怒吼與對上天的哀號也更加強烈。

　　持續創作的朱約信，也曾於大學兼任授課，開授流行音樂、電影研究、黑膠相關等課程。亦曾參與電影演出，以及電影主題曲、配樂、廣告音樂等工作，並主持過電視、電臺節目主持，也寫過樂評及影評。2000 年以《傲骨人生》專輯獲金曲獎「最佳方言（臺語）男歌手」。也組成「搖滾主耶穌」樂團，以音樂傳福音，目前仍擔任基督長老教會義光教會長老。

三、謝銘祐

　　謝銘祐（1969～），生於南投草屯，臺灣音樂製作及詞曲創作人，五歲即隨著父母遷至臺南安平定居。謝銘祐就讀臺南一中時期，就經常在

大學路上的「孟子書社」找書閱讀，因此當時就開始接觸黨外雜誌、臺灣文學作品。而北上讀書的大學時代，也更深刻感受到校園氛圍中同學們對於政治的認同有所分歧，尤其注意到南北文化及語言的差異。

學生時代就希望從事音樂創作的謝銘祐，就讀大學期間即是「新臺語歌運動」開始發展之際，當時傳唱臺灣文化的創作歌手也開始進到校園演出，謝銘祐即曾在陳明章的演唱現場，親身見識到政治勢力介入校園的實況。即便後來進入到主流音樂圈從事幕後工作，但許多政治意涵也表現在情歌的創作裡。退伍後，謝銘祐便留在臺北從事音樂工作，主要是擔任音樂製作人，十年之間的華語及臺語歌曲創作超過兩千多首。2000 年以後，他開始思索生命的意義，並決定回到故鄉臺南並展開新的創作旅程，而創作也逐漸轉以臺語為主。

自稱「府城流浪漢」的謝銘祐，於 2005 年與幾位臺南在地的創作者組成「麵包車」樂團，從臺灣歌謠當中尋找新的創作元素，以新的曲風傳唱許多經典臺語歌。「麵包車」樂團曾發行《出發》、《七逃》（按：迌迌）等專輯，也於全臺各地巡迴表演，且在養老院等醫療院所義唱臺灣歌謠與新創作的臺語歌，帶給年長者們滿滿的感動。

2012 年，謝銘祐出版臺語個人專輯《臺南》，獲得第 24 屆金曲獎「最佳臺語專輯獎」以及「最佳臺語男歌手獎」；且獲第四屆金音創作獎「最佳民謠專輯獎」等諸多重要獎項。《臺南》整張專輯的十首歌，皆以臺南的文史、景點、景觀作為主題來創作，曲風融合臺灣歌謠的柔軟性，也賦予現當代的新穎曲風，且每首歌曲中的臺語詞彙都相當精煉而富有詩意，包括歌曲中對在地的認同與文學性的詮釋，且加上完全符合臺語音調的譜曲，幾乎可謂將掀起另一波「新臺語歌運動」的示範創作。

以「臺南」作為一個作品主軸展開書寫與音樂的創作，《臺南》專輯

恐怕是臺灣音樂史上第一次的嘗試。尤其專輯中的每一首歌／詞以臺語寫作，不僅更貼近在地的語言文化，謝銘祐更是講究歌詞的文學性表現，例如其中的〈鳳凰花飛啊飛〉：

直直的身軀　翼仔葉　紅紅的花蕊　火咧燒
陪阮大漢唱驪歌　看你細漢賴賴趖

日頭若越大伊越愛　咱坐佇樹跤等風來
你若有閒來台南　伊待佇路邊排規排

一个城市會當藏偌濟夢？一欉樹仔會當陪幾代人？

鳳凰花飛啊飛　你欲共阮𤆬去佗
紅若火　一著起來熱袂退
鳳凰花飛啊飛　你欲共阮𤆬去佗
紅的雪　佇阮夢中硞硞綴

鳳凰花是臺南市的市花，尤其春夏之際的街道，隨處可見其火紅綻放。歌詞寫出鳳凰花溫暖且永恆一般地陪伴著臺南在地的空間轉換與歷史變遷，也陪伴著臺南市民們的做夢與築夢。而詩人將紅色的花瓣比若熱情之火，有如南方的溫度與臺南人的溫潤個性，詩末則又將紅色花瓣喻作北國之雪，成為臺南人朝思暮想的集體性記憶。特別是鳳凰花開的季節，也是學子畢業之時，紅花飛舞，如送別一般熱情地祝福著將要邁向下個人生階段的青年們，能有更美好的未來。

　　謝銘祐的臺語歌詞如詩如畫，而整部《臺南》譜出一篇篇府城的在地故事。另一張《舊年》專輯裡，謝銘祐讓臺語老歌有了新的傳唱生命，讓現當代的聽眾可以更親近且喜歡臺灣歌謠。不僅有現代詩一般的歌詞寫

作，謝銘祐也出版過繪本臺語小說《安平兮烏龍船長》，將臺南安平在地失落的人文，結合當地風情與自身的風骨，讓作品更具感染力。

2019 年的單曲〈路〉，也獲得第 31 屆金曲獎「最佳作詞人獎」、「最佳單曲製作人獎」；歌詞當中的「有路，咱沿路唱歌；無路，咱蹽溪過嶺」，不僅讓年輕人也琅琅上口，更受總統蔡英文於 2020 年雙十典禮演說中引用作為結語，來提醒著所有臺灣人，「我們今天所享有的一切，並不是一開始就有的，而是過去許多人的努力，一路一路，才送我們來到現在的地方。接下來，我們也會繼續跨出屬於這個世代的一步一步，臺灣，一定會自信前行。」

2020 年，謝銘祐再出版音樂作品《海翁囡仔》，整張專輯的詞曲皆出自謝銘祐之手，歌曲則由不同年輕歌手演唱。除了讓「蕃薯仔囝」的悲情意象成功翻轉成自信的「海翁囡仔」，尤其其中一首〈九隻海翁〉，更是為新成立的九份子國民中小學所打造的校歌，也是全臺灣第一首臺語校歌。

無歇睏　時間會飛
九隻海翁對窟仔底　泅入新土地
Learn and play, then we rock the world.
勇敢冒險　海的子弟　未來開始畫

九隻海翁　有五彩的夢
愛自由的心　泅啊泅　地北天南
世界闊闊　佇遐等待我
一湧一湧向前行

南風吹　鹹鹹的溪
天邊的星拄浮出來　伊遮爾美麗

九隻年輕的鯨魚——「海翁」，為了尋求新天地游至此新開發的九份子。在地人稱為「九份仔（Káu-hūn-á）」的九份子位於臺江內海一帶，現則是臨近新興工業區且相當熱門的臺南近郊城鎮。簡單的歌詞內含著臺江的地理變遷、環境特色，以及新世代對於新的土地認同的懷抱希望，更包含著對於未來的新故鄉之盼望。而面對全球性的肺炎大疫，人與人之間的交流受到阻撓，情感也跟著疏離，謝銘祐在 2021 年寫出〈愛相信咱一定會閣見面〉，為受到疫情影響在時空與心靈被迫阻隔的人們，帶來希望的鼓舞。

從周定邦、朱約信及謝銘祐等人的創作軌跡，可以看到對於語言藝術與在地文化的重新追尋之反省，也包括作家對於底層階級的人文與社會關懷，尤其在他們的音樂創作與歌詞的詩意表現來看，更帶給當代閱聽者對於臺語詩歌創作在音韻的細緻度與精準度等方面的種種反思。尤其一九九〇年代以降的臺語文學運動作品，不少是韻文式的書寫，也因是逐句押韻，使得習慣於華語現代詩表現的當代讀者，對於這樣的文學表現多未能持肯定態度。然而，正因其語言藝術經過雕琢，使得詩作容易入歌；或者是為使詩作更適於入歌，詞彙更是精挑細選，也才能成就出此語言所得以表現的文學獨特性。這些細膩的斟酌與實踐，反而更是臺語現代文學創作上的特色與難度。

第四節　臺南的客語作家及作品

如前所述，無論是一九八〇年代以降或者現當代的臺南臺語作家之臺語文學創作，其中的政治批判與歷史重構的意味都相當濃厚。尤其有不少對於二二八事件的書寫、臺灣社會的現狀、屢次被殖民的經驗之再現等等，這些作品建構出作為臺南、作為南方的一個抵抗群體的特性。而由於臺南並非客家鄉鎮，以客語從事創作的作家並不多。

然而，正如前一章提及《蕃薯詩刊》的創刊宗旨乃以臺文版及客語版並刊，而社員中也包含福佬人與客家人。換句話說，一九九〇年代的臺語文學運動初期，除了倡議「臺語文學」，也積極鼓吹臺灣的各族群以自己的母語書寫自己的文學，建設「新的臺灣文學」。那麼，居住臺南的客籍作家、華臺客語三棲的詩人，且又是「蕃薯詩社」社員的利玉芳，不應在臺南文學史中受到忽略。

　　另一位新生代作家羅秀玲，也是成為臺南媳婦的女性客家詩人，其相當支持臺語文學運動，亦可謂一九九〇年代以降的臺語文學運動之後，在母語教育逐漸落實於教育體系後，較早投入客語寫作並交出許多成績的年輕作家。尤其羅秀玲不僅是從事客語詩的創作，近年更積極投入客語長篇小說與劇本的寫作。

一、利玉芳

　　利玉芳（1952～），出生於屏東內埔，為笠詩社、臺灣現代詩人協會、《文學臺灣》同仁。屏東女中畢業後，因高雄加工區的產業工作興起，利玉芳先是找到電子相關的工作，並進入高雄高商夜間部就讀。期間，利玉芳因喜歡寫作而開始以筆名「綠莎」陸續在《中國婦女週刊》等刊物投稿散文，而也是在週刊中的筆友資訊中，與來自臺南的丈夫結緣。1973年，利玉芳自補校畢業後，即與任職臺南下營鄉農會的夫婿結婚，從此定居於臺南下營，長期生活於福佬人地區，耳濡目染之下，她也漸漸習得臺語且能流利運用。

　　利玉芳曾出版《活的滋味》、《貓》、《向日葵》、《淡飲洛神花的早晨》、《夢會轉彎》、《臺灣詩人選集──利玉芳集》、《燈籠花》等多部華語及客臺語詩集，也曾出版散文集《心香瓣瓣》、兒童文學作品《聽

故事遊下營》、《我家在下營》、《壓不扁的玫瑰——楊逵》、《小園丁》
等，作品量相當多，內容也非常豐富。曾獲吳濁流文學獎、陳秀喜詩獎、
榮後臺灣詩獎、客家貢獻獎等多項，是戰後重要的臺灣女性詩人。

　　1991 年「蕃薯詩社」成立並發行《蕃薯詩刊》，利玉芳即以客語作
家的身分加入詩社，且發表臺語及客語詩作。例如這首〈瓦窯〉，《蕃薯
詩刊》第 2 期（1992.4）刊出時即以臺語、客語版本同步對照發表。以下
為客語版全文：

　　熟識的儂人喊佢瓦窯
　　這係𠊎嫁來莊下以後
　　畀𠊎唔會感覺到生份的所在

　　祖公留下來的這塊土地
　　佢識無日無夜在燒自家
　　燒紅盡多的臺灣瓦

　　現在
　　屋頂的風景
　　畀溜苔磧著大家的記憶
　　雖然窯肚的火已經烏黑
　　𠊎等莊內的儂也無唔記得

　　薄薄的紅瓦
　　疊在牆角下任在佢生溜苔
　　牽牛花手牽手藤佢攬緊緊
　　感覺到佢的手脈文文的跳

　　柳樹也藤佢抵日

蓋像聽到佢勻勻的透氣的心

識生產臺灣瓦的瓦窯
像三月開得泛紅的木棉花
蓋著臺灣紅又紅的土地

初嫁到福佬人地區後的新娘，因而更加深識夫家所經營的「瓦窯」事業之
生命意義與在地人文的風華，並以此作為其對於在地產生認同的象徵。隨
著年紀增長，瓦窯成為舊時記憶之後，作者再以亦是臺南春天隨處可見的
火紅木棉花，來回憶心中對於瓦窯印記的深刻情感。於一九九〇年代初
期，政治與社會多有不安之際，瓦窯也並非僅為地區性所有，在詩人眼中
更是守護臺灣的象徵。而現今臺南下營區最重要的景點之一「白鵝生態教
育農場」，即是利玉芳改建舊瓦窯後所成立的農場。

　　利玉芳另一首刊於《蕃薯詩刊》第 3 期（1992 年 10 月）的客語詩
〈鞋〉，就一九九〇年代的社會背景而言，更是相當可愛而進步的情詩。

係因為汝愛到風景
佢才樂意同汝去旅行

莫為佢專門選好行的路
莫單單看佢行路的姿態
莫單單聽佢行路的聲音

希望係你行過蓋多風景
而唔係佢行過蓋多風景

這首詩不僅展現了現代女性對於戀愛觀的自主性，詩人更藉著如永不分
離、總要雙雙對對的「鞋」，來鼓勵極盡為對方付出的男性，不應為了成

全女性而失去其自主意識。在當時華語現代詩作也非常提倡女性自主的時代下，或者母語創作仍多有國族建構的意識下，利玉芳的寫作，可見其性別意識更翻轉式的前衛風格，卻又不失傳統女性的溫柔婉約。

二、羅秀玲

羅秀玲（1980～），生於屏東萬巒，因結婚而定居於臺南鹽水區，夫家從事餐飲業。曾以筆名蘭軒、若琳江發表作品的羅秀玲，自 17 歲始即開始進行客語詩的寫作，自 25 歲始即嘗試以客語寫小說，並持續以客語創作散文、劇本等，且長期投入母語教學工作，目前仍擔任中小學客語教師。作品散見於《客家雜誌》、《六堆雜誌》、《六堆風雲》、《巴西客家親》、《淡根母語文刊》、《笠詩刊》、《掌門詩刊》、《臺文BONG 報》等。

羅秀玲是年輕一輩的客籍作家中最致力於母語創作且獲得最多獎項的女性作家，其客語作品曾獲李江卻台語文創作獎、客家電視臺新詩創作大賽、全國客語童詩大賽、新竹市第一屆客語兒童文學獎、教育部用恩兜个母語寫恩兜个文學創作獎等多項；其 2006 年寫就的客語短篇小說〈命〉，更獲得南瀛文學獎短篇小說的佳作殊榮。2010 年，羅秀玲出版客語詩文集《相思落一地泥》，2016 年，其作品入選於《桐花客韻～海峽兩岸客家詩選》、《落泥：臺灣客語詩選》、《客語文學詩歌選》、《客語文學小說選》，2017 年入選於《客韻風華海峽兩岸客家詩選》。

羅秀玲在就讀就讀真理大學期間，即受教於向陽、陳恆嘉與盧廣誠等臺語文學的研究者，而在就讀新竹教育大學臺灣語言與語文教育研究所客家語組期間，亦師事客家詩人范文芳，於碩士班時期即持續以客語從事寫作至今。2016 年始，羅秀玲參與「客家女聲」，開始投入客家表演藝術。

另外，她也參與黃子堯成立的「文學客家」並擔任秘書長，協助客家文學及客語文學的相關推廣工作。

　　收錄於《相思落一地泥》中的諸多詩作，聚焦於客家女性的記憶與認同變遷。例如其中一首〈大襟衫〉：

拖箱肚
該領青色个大襟衫
係阿婆後生時節
行嫁个嫁妝

飄揚過海嫁到臺灣
無熟識个人
無熟識个景
手中揢等故鄉个黃泥
身項著等阿姆做个大襟衫
心肝頭還惦起
爺哀个叮嚀
千萬愛忍耐啊
千萬愛堅強啊
一日一日
一年一年
結婚降子農事做廚

斷烏
起身跐床
點燈盞
擘過幾下針
補過幾下空

笑微微仔緊看

大襟衫還係已靚
故事係無結尾个故事
雨落無停
大襟衫還係
孤栖个眠在該片
在夥房肚

「大襟衫」即是客家傳統服飾「藍衫」，也因其衣襟為向右開的剪裁而名為大襟衫。作者的「阿婆」（祖母）在臺灣的日治時期從中國大陸嫁到臺灣時，養母做給她一件大襟衫作為嫁妝，並叮嚀她嫁為人婦得要萬事堅強忍耐。阿婆的身世坎坷，支身嫁到臺灣後也非常努力幫忙夫家的農事與家務，而其擅長女紅繡花，一方面扶持著夫家的布業，一方面也因有縫紉專業，讓生命有了更豐富的色彩。作者以嫁妝大襟衫來描繪阿婆從年輕到老日以繼夜的刻苦耐勞，即便年老後猶如孤身的舊衫，仍然因為故事被留存，其美麗的形影不被遺忘。如此以大襟衫描寫阿婆個人的生命，卻也刻畫出昔日客家女性共通的經歷與堅毅性格。

　　於此「臺語文學卷」的最末，介紹了利玉芳與羅秀玲這兩位嫁到臺南的客籍女性作家及其作品，也作為一九九〇年代以降的「臺語文學運動」與「母語文學」倡議，之於其他族群作家的影響之補充。而相較於臺語文學的作品，客家女性詩人的母語寫作，的確也較少見直接式的政治相關書寫，反而多從生活或日常的觀察著手，她們的作品，為母語文學的書寫面貌，添增了許多回歸自然、回歸詩寫萬物的意義。

代結語

　　臺南文學史的「臺語文學卷」，以時間及人物為軸，依序從清治末期、日治時期、戰後至現當代，將臺語的文字與文學於歷史中的運動與發展、臺南出身或與臺南有地緣關係的諸位重要之臺語文學作家，以及他們的作品加以整理評述；從中，也討論了這長時間以來的文學運動，以及諸位臺南的臺語文學作家們和他們的作品，於臺灣現代文學史、臺語現代文學史上的位置與意義。即便臺語文學的建構歷經多次的斷裂，從一九八〇年代後半的解嚴前後開始，一連串的臺語文、臺語文學運動，都經歷幾波高峰與論戰，且走過了臺灣文學體制化後的幾波語言與文學之間的互相衝突與相斥，甚至包括政治與社會面的種種負面打擊，終於走到近年有如「百花綻放」的盛開之勢，臺語的現代、臺語的「新」文學在現當代，總算有了更豐富多元的面貌。

　　最大的突破關鍵之一，即是臺語文字、文化、文學的改革與推動工程，終於進入了國家體制內。2006 年 9 月教育部國語推行委員會通過「臺灣閩南語羅馬字拼音方案」，同年 10 月公告實施後，即便許多作家仍以原就習慣的用字來書寫，但長年來的臺語拼音爭議也大致結束。而尤其 2007 年以降，教育部再公布推薦用字、後續也推出《臺灣閩南語常用詞辭典》網路版提供檢索及查詢，再加上各級的母語能力認證，以及教育現場提供的標準化學習，實則對於臺語文使用者的用字習慣有極大改變，且影響更多原未以母語書寫的作家參與寫作。

　　接著 2019 年《國家語言發展法》的施行與「公視臺語臺」的開播，

更有著重要的歷史意義與影響力。不僅本土語言與文字在公共場域的使用度大幅擴增，相較於早已開臺多年的「客家電視臺」（2003 年）與「原住民電視臺」（2005 年），臺語臺的節目不僅有全臺語發音的製作，「字幕」也依據教育部頒定的用字來呈現，主要以漢字為主，部分以臺羅呈現，有些節目則以臺華雙字幕播出，對於「臺語文」的傳播，影響力大幅超越前期的運動之勢。

語文正式邁向標準化，整體社會的語言觀改變，文學也就有了更大步的前進與提升。正如《2016 年臺南文學獎得獎作品集》中的臺語短篇小說評審意見裡，李勤岸提及該年擔任評審委員會主席的客籍作家李喬於會議中晤面時曾向他說的：「臺語文學是成功的，在你們的努力推動下可以看出成果！」的確，臺語現代文學的發展，至今得以被看見一些成果，這是許多前輩奮力不懈地奔走倡議，以及許多同輩與後輩接續實踐而來。

事實上不僅是臺南的臺語文學，整個臺灣社會越來越有重視母語、本土語文的文藝創作之趨勢。除了本卷所介紹過的作家作品，或者前述提及的臺南市政府文化局出版的「作家作品集」，近年多可見臺語文學相關作品等等，就整個臺灣的出版現象而言，例如從 2020 年以降，母語文學作品開始大量生產，其中有聲書或繪本最受注目與歡迎，甚至得到國際獎項的肯定。另外，這幾年也陸續有外國經典文學的臺語譯本等陸續出版，且獲得相當好評。

若再從流行音樂方面來看，例如近年的金曲獎得獎作品中，以母語創作而被重視的趨勢直直攀升，歌詞用字越來越有依據教育部標準化用字呈現的傾向，且臺語歌詞的文學性也提高許多，諸多歌詞講究詩意的表現，

其中就包括本卷也以一小節介紹的謝銘祐之作品。由於網路的擴散力強，再藉著音樂帶動的共鳴與共感，「臺語文」與新式的「臺語文學」之傳播，可謂達到前所未有的高峰。而既往的文類多以新詩、散文、小說或劇本等來定位，但前述的繪本或有聲作品，廣義來說也可謂是「新臺語文學」，無論在形式上（用字）與內容上（敘事方式）已跳脫過往吾人對「臺語文」或「臺語文學」的想像或說刻板印象。

此外，雖非臺南出身者，不少資深華語作家也轉而出版臺語文學的寫作，例如散文家劉靜娟（1940～）、廖玉蕙（1950～）都在 2020 年以降接續出版了他們的臺語散文集，而用字也同樣以教育部正字呈現。更不用說長期耕耘於臺語小說的胡長松（1973～），至今已出版兩部各超過二十萬字的長篇小說。再例如寫作不輟且擅長以小說書寫家庭或職場故事的藍春瑞（1952～），在出版兩部短篇臺語小說集後，也已寫就超過二十萬字的長篇小說準備出版。這幾年女性作家也不遑多讓，王秀容（1968～）、王昭華（1971～）等人的臺語散文集終於在眾人期盼下出版。這些資深作家的臺語文學寫作，或者更多新作家的參與，都可謂將一九九〇年代初期臺語文學運動的目標付諸成果的展現。

回頭重看一九九〇年代初期臺語文學運動者們開始做夢、築夢時，多少人相信未來能有打造一個母語文學更加量化且精緻化的可能？然而，幾十年過去，母語教學逐漸在教育現場實施，以母語創作的年輕作家也越來

越多，臺語、母語文學的發展與運動，且開啟了另一個新的階段。此階段更藉由媒體的正向與廣幅傳播，讓各族群的作家越來越有意識地以母語從事創作。未來的臺灣文學，將更精準地以母語說話、更深刻地描繪多元族群、更豐富地呈現多樣社會議題，其新的面貌與內涵，讓人非常期待。臺灣文學的體制化初期，呂興昌教授、陳萬益教授兩位臺灣文學界的「疊磚仔師」，即提出「多音交響」與「族群共榮」的美麗口號，而今，我們也正在見證母語文學飛躍發展的時刻。

那麼，此篇臺南文學史中的臺語文學概貌，某種程度而言，是小小的島國臺灣的臺語文學發展史之側寫，也可謂是一部未完待續的臺語文學史。筆者盡可能將重要的運動、刊物、事件、作家與作品置於各章節依序評述，許多評價都相當主觀，也肯定遺漏不少重要的作家與作品。例如鹽分地帶作家吳新榮（1907～1967）及其子吳南圖（1938～2019）與吳夏暉（1947～），事實上都有臺語詩作或較長篇的相關論述或散文創作。又或者在解嚴前後即投入臺語文學運動與寫作實踐及推廣的黃文政（1926～）、跨語作家許正勳（1946～）、牧師作家顏信星（1946～）、俗諺歌謠研究者杜文靖（1947～2010）、亦為蕃薯詩社社員的涂順從（1948～）、擅長囡仔詩的謝安通（1948～）、鹽份地帶詩人王宗傑（1950～）、母語文化教育者董峰政（1954～），以及黃徙（1954～）、曾明泉（1956～）、黃文博（1956～）、吳炎坤（1961～）、陳秋白

（1963～）、程鐵翼（1964～）、潘景新（1944～）、陳玉珠（1950～）、潘靜竹（1955～）、小城綾子（連鈺慧，1959～）、林裕凱（1966～）、蔣為文（1971～）、陳慕真（1980～）……等諸位分屬不同世代，但都深耕臺南的作家。這些作家或出身臺南或曾長時間於臺南工作，卻都在臺語文學方興未艾仍不見美好前程之時，就不畏孤獨地如接力賽一般留下許多臺語文學佳作，他們以不同的文學視角與實踐力道，描繪出心中的臺灣與臺南，建構出那依舊美麗的鄉土。諸位作家都應在文學史上被記憶，但限於筆者自身的時間與能力，而無法對他們有更完整的評介，實是筆者的不足與失責。

　　本卷的撰述，說是地方性的臺語文學史其中的主題或文類之一，或可視其為臺灣文學史中大時代裡的註腳逐漸要被放進本文裡的部分段落，而它的確是需要一再被修正及補充的。期待現當代的臺語文學書寫，乃至未來的母語文學發展，都有更多的寫作者、閱聽者、研究者、教育者持續參與，並且接續打破框架、重建屬於真正多元臺灣的價值，構築以每個族群為主體的臺灣新文學史。或許，臺灣其他各族語的文學也正走向著如臺語文學經歷過的，艱難的重構與創造之路，也但願我們能夠共同迎接下一個世代的臺灣各族母語文學之盛世。

臺南文學史 4
臺語文學（下）

發 行 人	黃偉哲
發行總監	謝仕淵
主　　編	陳昌明
作　　者	呂美親

督　　導	陳修程・林韋旭
行　　政	陳雍杰・李中慧・蔡宜瑾

出　　版	臺南市政府文化局
地　　址	永華市政中心　708201臺南市安平區永華路2段6號13樓
	民治市政中心　730210臺南市新營區中正路23號5樓
T E L	06-6324453
網　　址	https://culture.tainan.gov.tw/

出　　版	國立成功大學
地　　址	701401臺南市東區大學路1號
T E L	06-2757575
網　　址	https://www.ncku.edu.tw/

計畫執行	文訊雜誌社
計畫主持	封德屏
企畫行銷	徐嘉君
執行編輯	游文宓・曾士銘
校　　對	呂美親・杜秀卿・李星瑩・林裘雅・吳栢青・黃秀珠・
	黃亮鈞・楊淑娟・劉晉綸・嚴鼎忠

編印發行	文訊雜誌社
	地址　100012臺北市中正區中山南路11號B2
	電話　02-23433142
	發行業務　高玉龍
	電子信箱　wenhsunmag@gmail.com
	郵政劃撥　12106756文訊雜誌社

美術設計	黃子欽
印　　刷	松霖彩色印刷事業有限公司

出版日期	2023年11月
版　　次	初版一刷
定　　價	新臺幣460元

I S B N	978-626-7339-39-8
套　　號	978-626-7339-41-1

GPN：1011201385｜臺南文學叢書L166｜局總號2023-738

國家圖書館出版品預行編目(CIP)資料

臺南文學史. 臺語文學卷/呂美親作；陳昌明主編. – 臺南市
: 臺南市政府文化局, 國立成功大學, 2023.11

　面；　公分. – (臺南文學叢書；L166)

ISBN 978-626-7339-39-8(精裝)

1.CST: 臺灣文學史 2.CST: 地方文學 3.CST: 現代文學 4.CST:
臺南市

863.9/127　　　　　　　　　　　　　　　112017457